U0423746

山海经动物图鉴．I

吕洋 绘

兰心仪 编著

北京理工大学出版社

BEIJING INSTITUTE OF TECHNOLOGY PRESS

图书在版编目（CIP）数据

奇兽 ： 山海经动物图鉴． Ⅰ / 兰心仪编著 ； 吕洋绘． -- 北京 ： 北京理工大学出版社， 2019.8（2019.10 重印）

ISBN 978-7-5682-7122-6

Ⅰ．①奇… Ⅱ．①兰… ②吕… Ⅲ．①历史地理－中国－古代②《山海经》－图集 Ⅳ．① K928.631-64

中国版本图书馆 CIP 数据核字（2019）第 114168 号

出版发行 / 北京理工大学出版社有限责任公司
社　　址 / 北京市海淀区中关村南大街 5 号
邮　　编 / 100081
电　　话 / （010）68914775（总编室）
（010）82562903（教材售后服务热线）
（010）68948351（其他图书服务热线）
网　　址 / http://www.bitpress.com.cn
经　　销 / 全国各地新华书店
印　　刷 / 雅迪云印（天津）科技有限公司
开　　本 / 710 毫米 ×1000 毫米　1/16
印　　张 / 15.5
字　　数 / 118 千字
版　　次 / 2019 年 8 月第 1 版　2019 年10月第 2 次印刷
定　　价 / 96.00 元

责任编辑 / 马永祥
文案编辑 / 马永祥
责任校对 / 周瑞红
责任印制 / 李志强

导读

对我们这代人来说，《山海经》是一本既熟悉又陌生的书。我们的童年大多是在各种各样的动漫、影视和游戏作品之中度过的，因此怪兽、神禽于我们而言并不陌生，无论是动画还是游戏，总会零星出现几个名称怪异的动物，当然，最具代表性的就是龙、凤、麒麟、白虎和玄武了。

使用这些怪兽形象的，有许多并非国内的创作者，其作品的背景设计也不都是远古时代或“中国风”很浓重的世界。这些怪兽形象既有科幻背景的机甲造型，也有奇幻世界的拼接动物，但总能带给我们别样的感官享受。可惜的是，这些作品对《山海经》的使用往往是选取几个最具代表性的怪兽，例如食人的怪物穷奇、饕餮等，我们在观看的时候，也只有这个怪兽很酷很厉害的印象，而不会对它所在的世界怎样、环境如何、与什么动物共存一类的问题有所联想。

《山海经》记载的本身就是一个独立而完备的幻想世界，袁珂先生曾说：“吾国古籍，环伟瑰奇之最者，莫《山海经》若。《山海经》匪特史地之权舆，乃亦神话之渊府。”虽然历代学者都承认《山海经》为研究古代社会提供了多方面的资料，但也有人认为其中记录的怪兽和神鬼是怪诞不经、无法被证实的。然而正是这份荒诞不经为我们打开了想象之门，让这个神话世界充满了奇思妙想，生动而鲜活。

近年来开始流行“宇宙”世界观的概念，无论是迪士尼的动画片，还是漫威的漫改电影，都在试着将一个个单独的完整的作品串联起来，形成一个庞大的自成体系的宇宙，前作的每一个人物都生活在其中，虽然有可能不曾见面，却在生活的许多细节上相互关联，就像生活在城市两端的人，虽然陌生，但也可能每天都在同一个公交站擦肩而过。

2018年上映的电影《神奇动物在哪里2》中出现了一个中国神兽驺吾，其源头便是《山海经》。当然，这不是《山海经》里的动物第一次在好莱坞大片中亮相，但这些让人惊艳的片段还是向我们透露出一个信息：这些动物基本上与自己的文化背景割裂，变成了炫耀电影特效的一个符号。比如我们提到西方的龙，立即能联想到它们住在阴森的山洞里，守着闪闪发亮的金币和珠宝，会喷火，还会突袭城堡，捉走公主。有了这些基础认知，便会欣赏各种各样的颠覆性改编，比如《驯龙高手》系列。而我们引以为傲的东方龙，我们却说不出它们爱吃什么，住在什么样的地方，有什么样的性格和偏好，因此我们眼中所见只有抽象的形态，而无生动的故事。想想迪士尼动画电影《花木兰》中的木须龙，它是花家的家神，个性张扬却怕事，绝非我们传统的龙神形象，可是看完电影，这条红色的小龙却能给人留下非常深刻的印象。

正因为这样，我们筹备这套书时的设想，就是在《山海经》描画的世界里，像拍纪录片一样，用《动物世界》似的镜头，横扫过一座座山川，寻找到隐藏在山间的动物，用想象力呈现出它们的形态，补上栖息环境和生活习性，依照古籍所记录的山水顺序，让幻想乡中的自然风貌一览无余。

当然，我们也遇到了很多问题。比如《山海经》里有许多人面兽身的山神，或者具有非凡的神力、被各种形式的作品改编创作过的神兽，我们很难把它们纳入奇兽的体系，因为我们更希望展现一个介于真实和幻想之间的世界，那个世界里也有老虎和狼这样现实存在的动物，而长得奇形怪状的那些野兽在这个世界里就如虎狼一般常见，仿佛真实存在过一样。我们希望读者在翻看《奇兽》这一系列书籍时，就像在幻想世界里探险之前阅读一本野外生存手册一样。

为了体现“科学性”，我们把所有的动物做了分类。不同于现代动物学上纲目科属的分类，我们借用了古代的五虫纲思想。《大戴礼记》中有“毛羽昆鳞蠃”五虫，分别代表五类动物。毛虫就是身上被毛的动物，以麒麟为首领;羽虫就是有翅膀、带羽毛的鸟类，以凤凰为首领；昆虫是指带甲壳的动物，除了今天我们熟悉的节肢动物，贝类、螃蟹等水生动物也属于此类，以玄龟为首领；鳞虫便是身上带鳞的动物，包括鱼类和蛇；而蠃虫也称为裸虫，指的是既没有毛也没有鳞，裸露着皮肤的动物，包括青蛙、蚯蚓等等，我们人也属于蠃虫。

除了这五虫以外，在《西游记》中，如来佛祖曾说：“周天之内有五仙，乃天地神人鬼；有五虫，乃蠃鳞毛羽昆……又有四猴混世，不入十类之种。”加上孙悟空大闹地府的时候，一口气从生死簿上把猴类的名字都给划了，让猴子成了神话中别样的门类，志怪小说和民间传说中都常见到它们的身影。因此我们把这些神通广大的猴子也单独分了一类，称为禺。

用图画的方式呈现书中描写的动物，虽说有文字依据，却也不能完全照搬。而有的动物现今也存在，例如虎、豹、犀牛等等，它们在原文中不过出现一个名字。但我们有时也会思索，会不会同样的动物，有古今的差异？也许差别不在外形上，而在习性上。在“纪实”的基础上，更要发挥想象，而想象又要合理，其实这不是一件容易的事。

比如人们非常熟悉的九尾狐，在《山海经》里，它还没有那么多神怪，只是四足九尾的大狐狸，凶猛食人。但在后来的《玄中记》中，对狐狸如何修炼进化做了详细的描写，所以我们也采纳了这种补充，令九尾狐的描述更加完善。

《山海经》的世界繁复庞杂，无数形貌奇异的神灵、怪兽、异禽以及神话传说交织在一起，我们这套书很难囊括全部。我们从动物的角度出发，以南山经、西山经、中山经、北山经及东山经这五大山经为基础，选取了172种动物，或是现今仍见，或是玄奇无稽，都以好奇探秘的心态去解构与重构它们，由此形成了这套《奇兽》系列，构建起一个亦真亦幻的奇妙动物世界。

由于《山海经》的版本很多，注释纷繁，各家各派都有独特的看法，于是在不同的版本中，这些奇兽的名字、读音甚至长相都有差异。比如羭次山上的一种猴子，在一些版本中写作“嚣”，而在另一些版本里则写作“䍐”，二者的读音也截然不同。为此，我们不得不挑选出一个版本作为标准，将中华书局于2009年出版的“中华经典藏书”系列中的《山海经》作为依照底本，其中没有提到的注音则参考袁珂先生注释的《山海经校注》（上海古籍出版社，1980年第一版）。在具体动物的注音、写法以及原型动物等方面，我们始终秉持着和而不同的观念，接纳多种意见，并希望能将这套书籍做得生动有趣。

目录

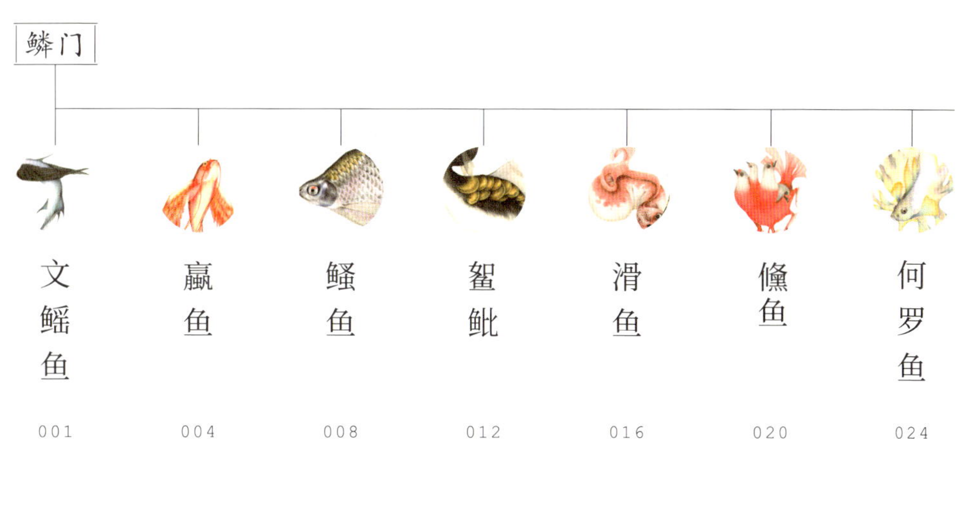

鳞门

昆门

目录

目录

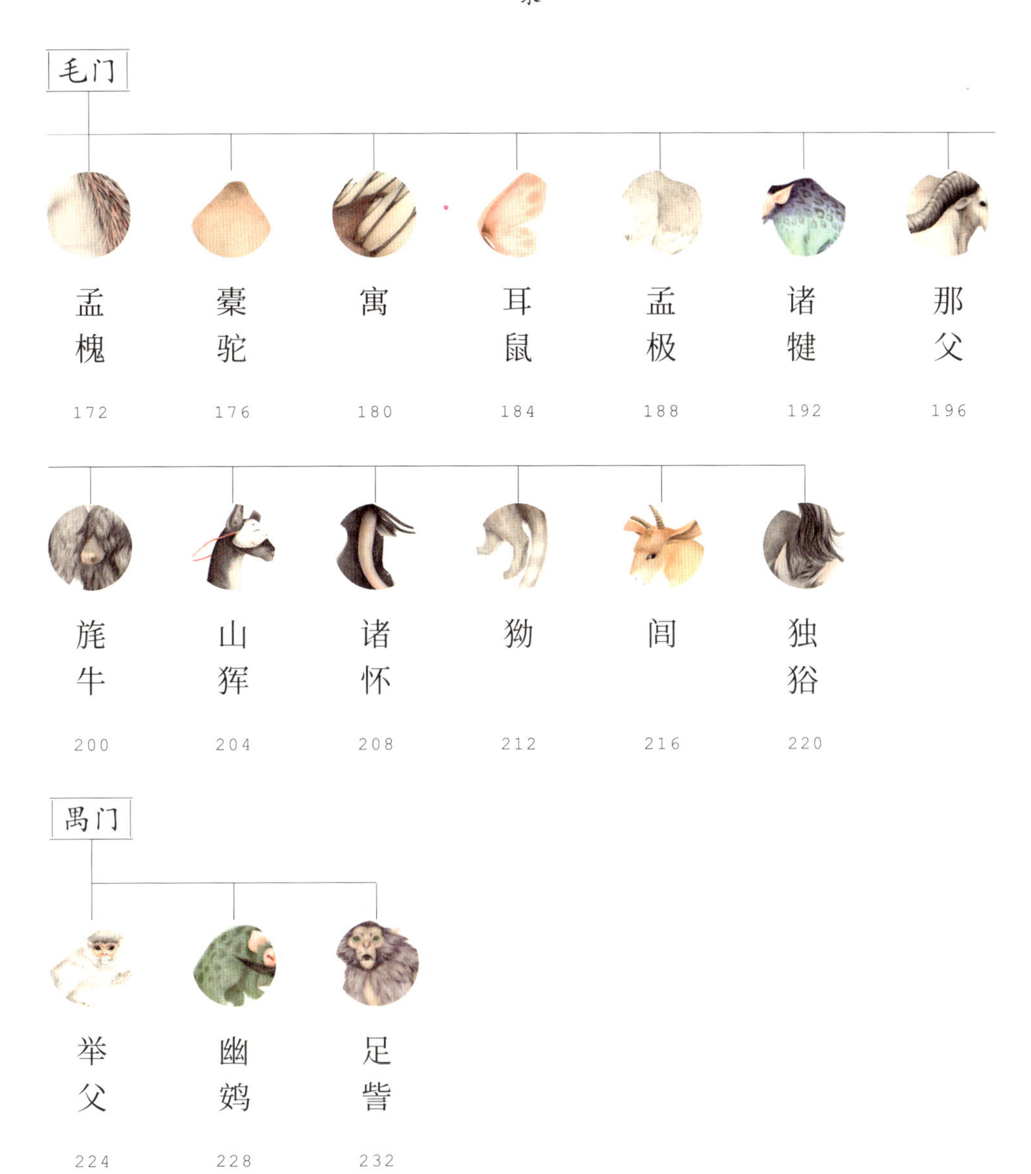

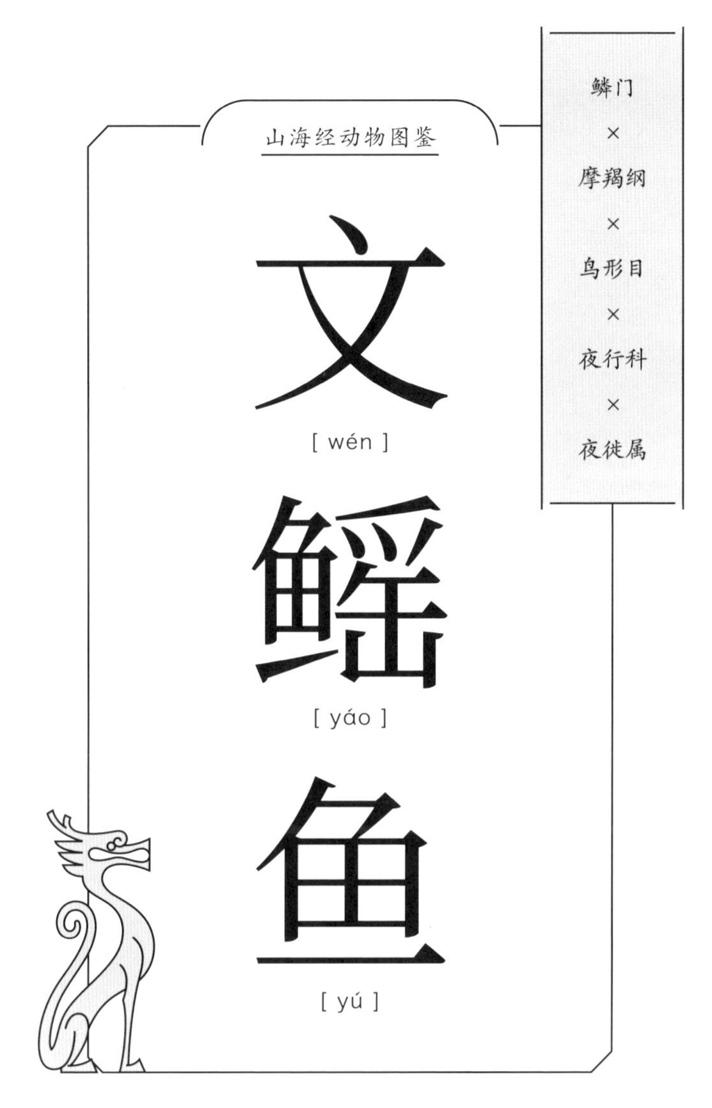

又西百八十里，曰泰器之山。观水出焉，西流注于流沙。是多文鳐鱼，状如鲤鱼，鱼身而鸟翼，苍文而白首赤喙，常行西海，游于东海，以夜飞。其音如鸾鸡，其味酸甘，食之已狂，见则天下大穰。

——《山海经·西山经》

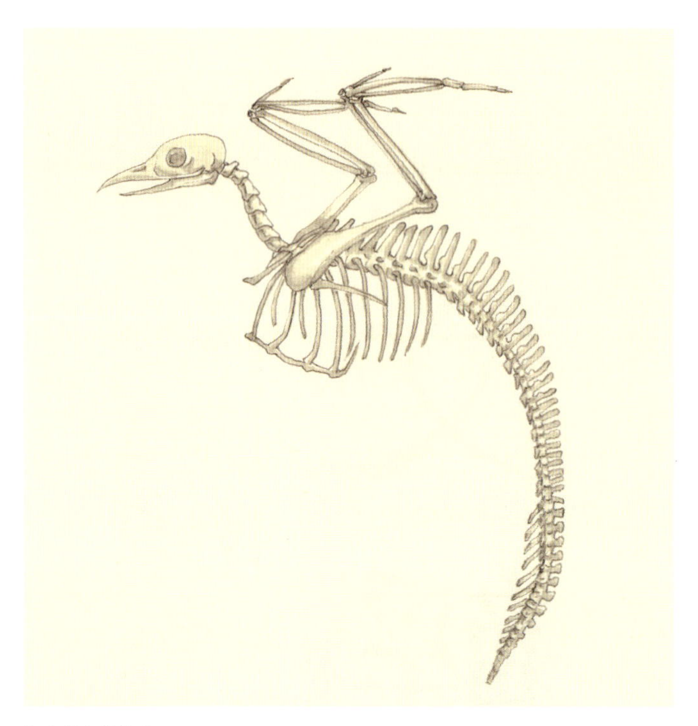

| 文鳐鱼骨骼图

| 形态特征

文鳐鱼的头部像燕雀，前额微鼓，形成不明显的黑色羽冠；喙短而宽扁，眼睛像喙一样鲜红。颈椎分为七节，之后的脊柱则与鲸类动物相似；但不同的是，鲸类动物的前肢变化为鳍状，而文鳐鱼的前肢变成了一对有力的翅膀。此外，它的背鳍、腹鳍与尾鳍内部都没有骨骼，仅仅是皮肤的衍生品，用来适应水下的生活。

以现代的眼光看，文鳐鱼显然是一种水生哺乳动物，用肺呼吸，也能长时间地脱离水源；身体表面没有鳞片，通过胎生的方式繁育下一代。但在古人的思维中，文鳐鱼是半鱼半鸟的生物，属于摩羯纲的范畴。

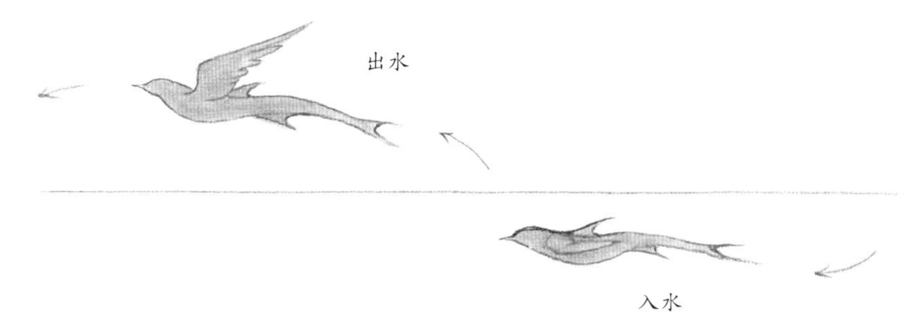

文鳐鱼飞行示意图

栖息环境

泰器山下有一条大河，名为观水，日夜不停地向西流去，奔赴昆仑西面的流沙大漠，并潜入地下形成暗流，滋润着荒漠中的绿洲。这条河是文鳐鱼的出生地。

新生的文鳐鱼会与父母在观水中生活一段时间，直到翅膀发育完全，然后会在夜间浮出水面，开始它们的迁徙之旅。最终，新成员长大成年，再次回到出生地，产下后代，开始新的生命轮回。

生活习性

文鳐鱼只在夜间飞行，并就地寻找食物，花果、虫豸、种子都能用来果腹。它们的叫声清脆，声调很长，一声响起，其他成员也会响应。

它们的飞行速度极快，一夜之间就能越过数条山脉，黎明之前首领会找好一处水源，让族群成员们能够栖息其中，躲过烈日的照射。如果途经沙漠，就躲入地下的河流。进入西海后，它们的族群就会解散，成员各自单独生活。

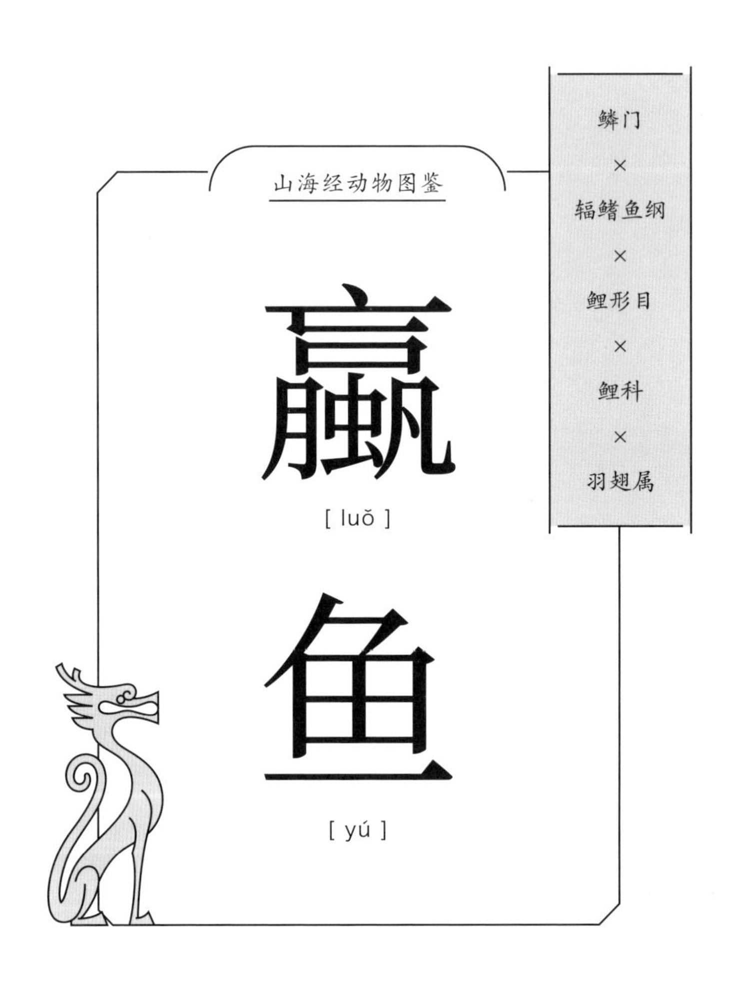

又西二百六十里，曰邽山……濛水出焉，南流注于洋水，其中多黄贝，蠃鱼，鱼身而鸟翼，音如鸳鸯，见则其邑大水。

——《山海经·西山经》

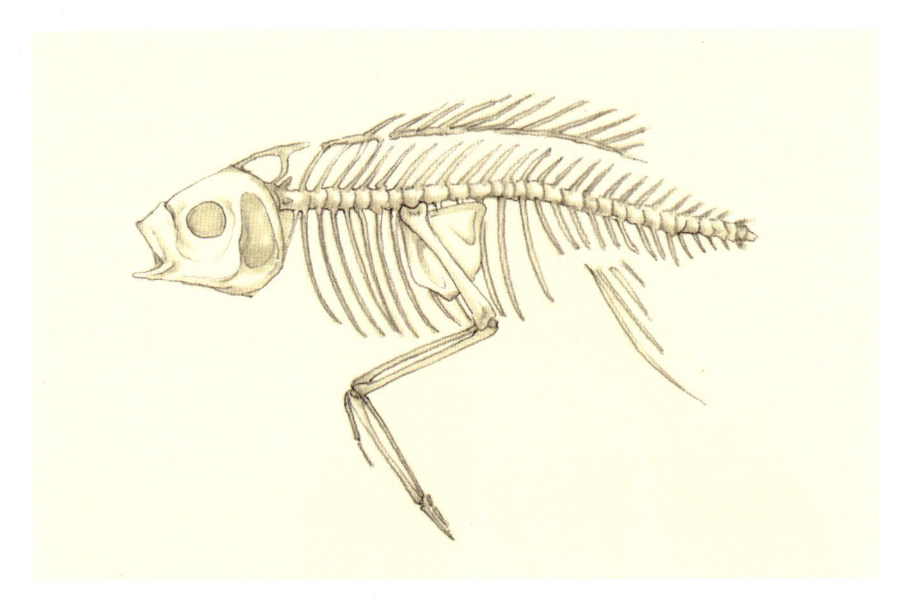

| 嬴鱼骨骼图

| 形态特征

嬴鱼是一种外形优美、色彩绚丽的有翼鱼类，属于鲤鱼的一个分支，但在身上多出一对长满羽毛的翅膀。它们的身体较短，头大而圆，吻部平，嘴两侧伸出两根胡须，拖到身后；没有腹鳍，背鳍短小，尾鳍分开两片，相互对称，宽大而透明，在水中摆动时非常优美。

在它们的第8~11节椎骨之间，多出一块骨板，近似于肩胛骨的形状，由这块骨板托住翅膀的骨骼，使得嬴鱼的羽翼能够上下扇动，并且收起时可以紧贴在身体两侧。

| 鸁鱼带幼鱼迁徙图

| 栖息环境

鸁鱼是迁徙性物种，出生地是邽山下的濛水和洋水，但成熟之后，它们会成群结队地飞往其他水域，分散到更多地点生活。

邽山位于大陆西北部，山中有著名的凶兽穷奇，没有其他野兽栖息。濛水从邽山山顶流下，汇入大河洋水，河里有许多黄色的贝壳，也有各种游鱼。

| 生活习性

鸁鱼出生时，身上只有裸露的皮肤和肉翅，被卵中带出的一层黏液包覆，随着黏液褪去，鳞片和羽毛才逐渐发育起来。它们依靠鳃呼吸，因此在飞行过程中需要不断寻找水源进行换气。在不换气的情况下，一只鸁鱼最多可以飞行两三公里。

鸁鱼的食物包括无脊椎动物、微生物、昆虫和水草，不会攻击其他鱼类。它们在邽山下的濛水和洋水中没有天敌，鱼卵也不会被其他鱼类吃掉，所以幼鱼的出生和存活率都很高，三四个月内就能发育完全，之后就能跟随母亲离开出生地，飞往其他水域开始新的生活。

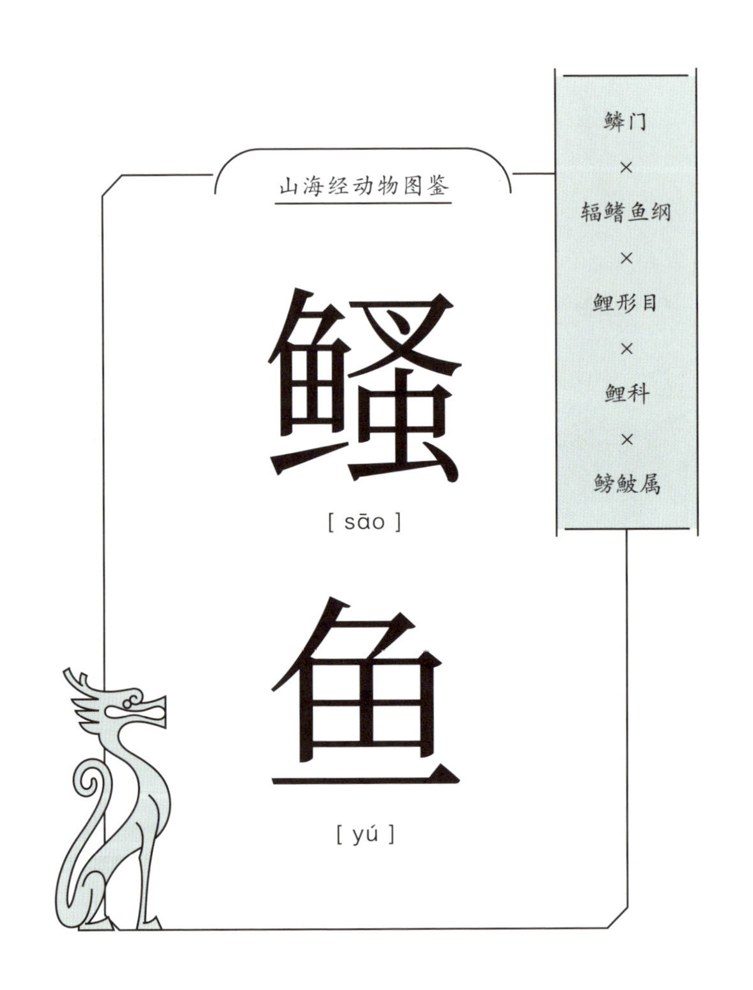

又西二百二十里，曰鸟鼠同穴之山，其上多白虎、白玉。渭水出焉，而东流注于河。其中多鳋鱼，其状如鳣鱼，动则其邑有大兵。

——《山海经·西山经》

| 鳋鱼的鳞片

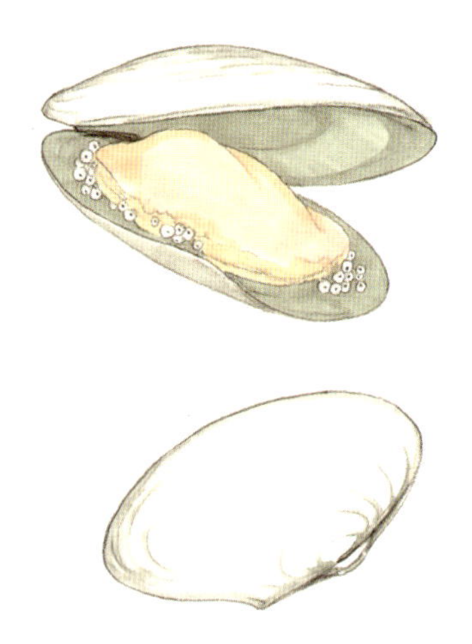

| 鳋鱼在贝壳中产卵

| 形态特征

鳋鱼身宽头小，从头顶开始高高隆起，过渡到背部；体侧扁平，像是一片菱形的树叶。它浑身的鳞片细密而坚硬，每一片都呈扇形，尖端颜色深，圆端颜色较浅，鳞片表面平而光滑，在水中也能充分折射光线，产生不属于鳞片本身的多种颜色。

除了胸鳍，其余鱼鳍生长的位置都靠近身体后方，胸鳍和腹鳍非常窄小，尾鳍分叉，只有背鳍和臀鳍显得宽大而柔软。它们的体型很大，并不断生长，寿命为8~10年，最大可以长到一人多高。随着年龄的增长，鳞片也会一圈圈变大，可以自主展开与合拢，鳞片翕张时能发出沙沙的响声。

丨 栖息环境

鸟鼠同穴之山是《山海经·西山经》所记录的第四山系中第十八座山，已经接近这一山系的末尾。在这座山上，飞鸟和老鼠可以同穴居住，互不相扰，山的名字由此而来。此山海拔高，山顶只有枯黄的野草。山腰有一处河谷，生长着茂密的树林，其中栖息着一群白虎。渭河从此处发源，鳋鱼生活在其中。

丨 生活习性

鳋鱼是杂食性鱼类，食物以水藻为主，也可摄取水草、叶片、藻类、沉淀的有机物、浮游生物、水生昆虫等。它们体型虽然大，却不会攻击鸟类和哺乳动物。

它们在三岁左右开始繁殖，为了保护鱼卵，会刻意把卵产在湖底的贝壳中，既能保证鱼卵不被水流冲散，也可以利用贝壳来藏匿鱼卵，以免被水中的肉食性鱼类发现。

无论鳋鱼的体型如何变化，所产鱼卵的大小都是固定的。幼鱼需要10~20天的时间孵化，并在一年以内长出细鳞。但这些鳞片是半透明的，硬度并不高；三岁左右的鳋鱼，还会经历一次全身换鳞。这次换上的鳞片会伴随它们未来的全部岁月，不仅颜色美丽，而且非常坚硬。

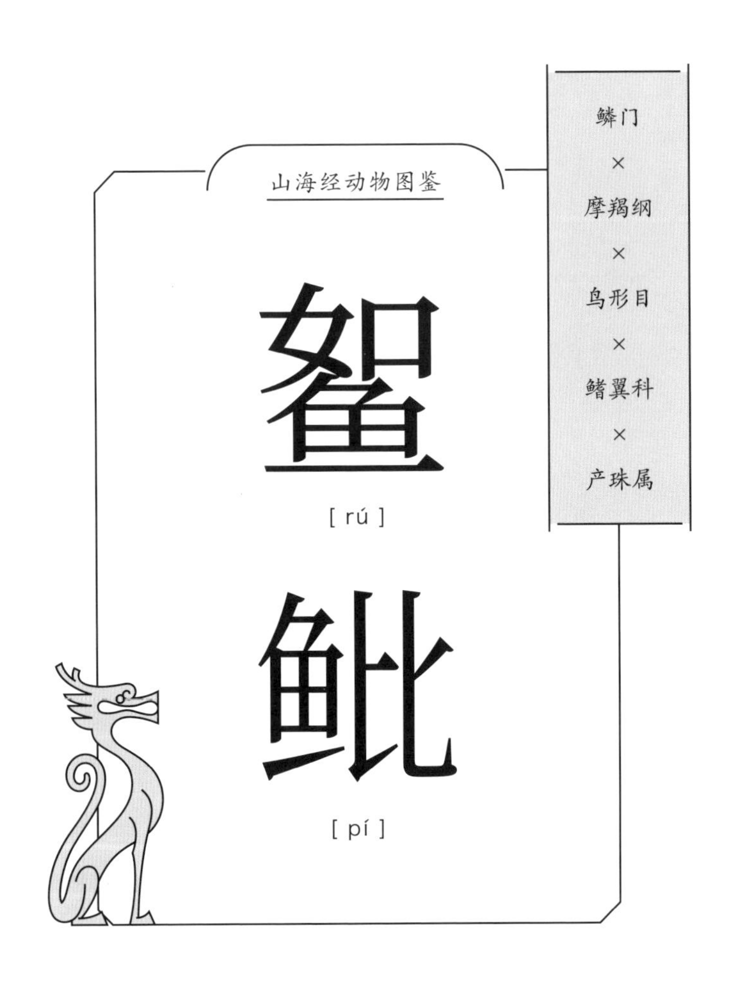

又西二百二十里，曰鸟鼠同穴之山，其上多白虎、白玉。渭水出焉，而东流注于河……滥水出于其西，西流注于汉水，多䰻魮之鱼，其状如覆铫，鸟首而鱼翼鱼尾，音如磬石之声，是生珠玉。

——《山海经·西山经》

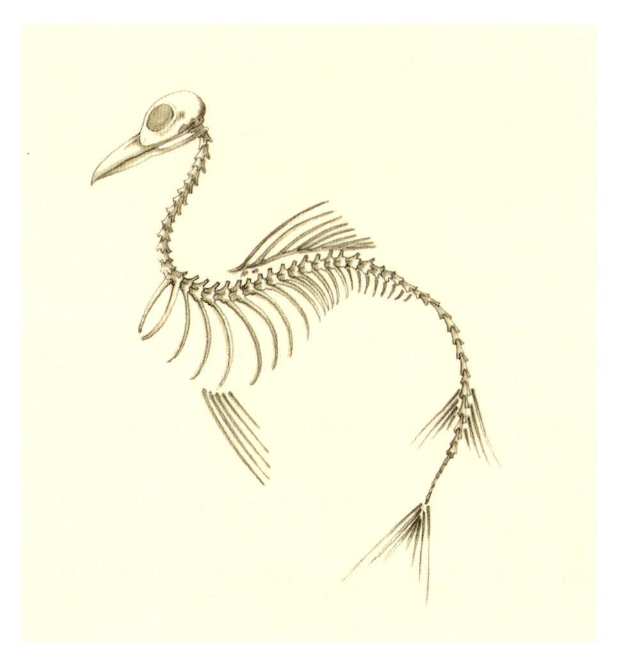

| 鳋鲉骨骼图

| 形态特征

鳋鲉属于摩羯纲生物，前半身是鸟类，后半身是鱼类。它们的颈椎有14节，能够灵活弯曲；头小而窄，喙占据头部的1/2；眼眶周围有一圈蓝色的细毛，可以过滤水中的杂质。视力出众，在水上、水下都拥有清晰的视野，这得益于眼球表面的两层薄膜可以交替使用，既能抵挡水压的影响，又能帮助采光。

其背部隆起，上面排列着巨大的鳞片；羽毛细密，呈扇形相互重叠，分布方式与鳞片很相近。鳍呈透明薄膜状，翅膀已经完全退化，由一对窄而长的胸鳍取代，其骨骼与脊椎并不相连。喙下方的一对鳍没有骨骼结构，仅用来感知水流方向。

| 栖息环境

西北方的鸟鼠同穴之山，蕴藏着丰富的白玉矿产。山间河流的河床两侧常常出现被河水带来的玉料、石块。滥水是从渭水源头分出的一条溪流，沿山体西侧流下，汇入汉水。河水中泥沙含量高，在山下平缓处沉积下来，不断抬高河床，导致滥水时常漫出河道，造成洪灾。鳋鲉生活在滥水的上游地带。

| 玺蚍产下的珍珠

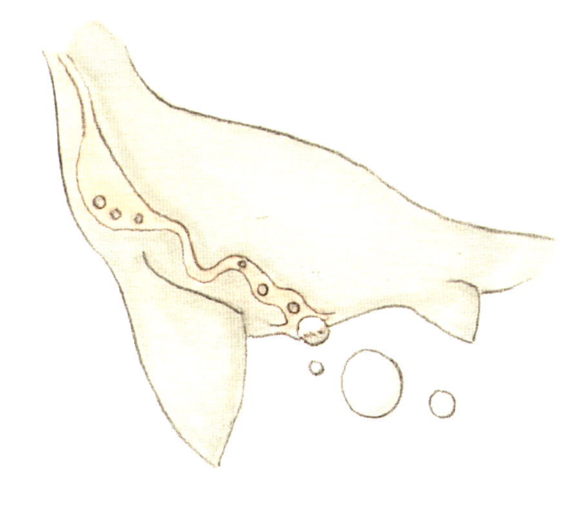

| 玺蚍体内产珍珠示意图

| 生活习性

玺蚍捕鱼为食，此外还吃一些落入河水的树叶、果实、谷物等。偏好温度较低的水域，只待在海拔较高的地方，不肯进入食物资源更丰富的河流下游区域，导致种群无法扩大，数量基本保持在400~500只之间。

它们有一种神奇的功能，体内可以产生珍珠。为了帮助消化，它们的胃里积累了砂粒，用于磨碎食物。如果在体内造成创口，就会被分泌的珍珠质包裹，起到愈合创口的作用。而珍珠质会吸附在表皮上，逐渐变圆变大，直到足够沉重，从内部表皮脱离，被排出体外。

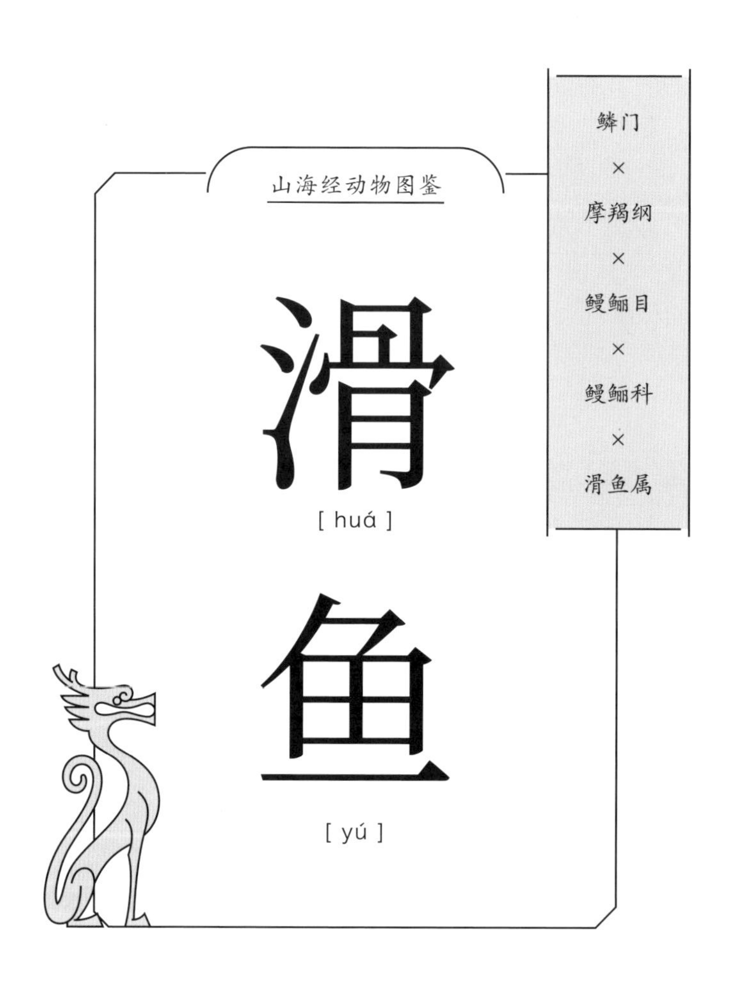

又北二百五十里，曰求如之山，其上多铜，其下多玉，无草木。滑水出焉，而西流注于诸毗之水。其中多滑鱼，其状如鳝，赤背，其音如梧，食之已疣。

——《山海经·北山经》

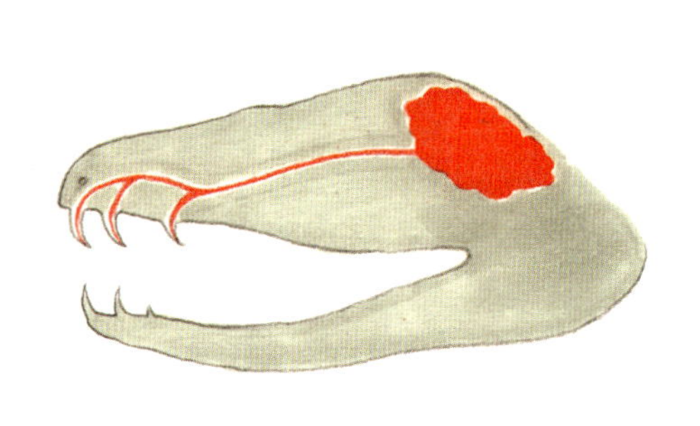
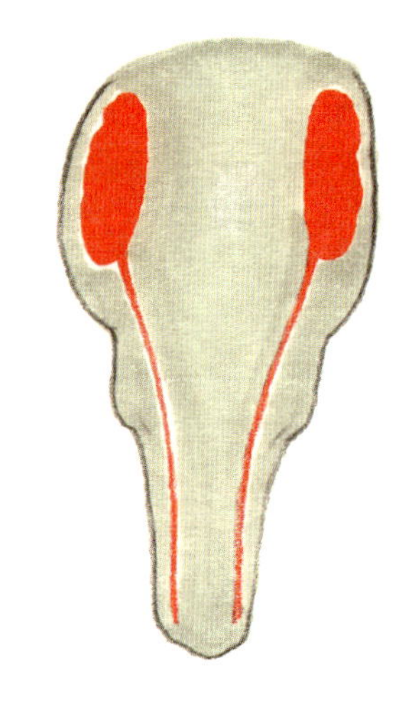

| 滑鱼头部毒腺位置图

| 栖息环境

《山海经 · 北山经》记录的第一山系第二座山，名为求如之山，山上寸草不生，裸露出一些铜矿和玉矿。有一条河从山中穿过，一路向西流去，这条河的名字叫滑水，水质清澈，流速较慢，河水温度较为恒定，属于温暖的水域。水中有两种特殊的动物，一种被称为滑鱼，另一种则是水马。

| 形态特征

滑鱼的名字不仅来源于它们生活的滑水，也因为它们的身躯光滑无鳞，体态为长圆筒状，尾部扁平。它们的头既尖且圆，口裂很大，舌头长而黑，尖牙集中在口腔前部，牙齿泛着绿光，带有剧毒；头部有两个毒囊，分别位于双眼后方，毒腺不仅连接着牙齿，还伴随神经系统扩散到全身；眼睛大而凸，分布于头颅两侧，拥有两个几近平行的视域；背鳍从颈部开始生长，与尾鳍、臀鳍相连，总长度与其体长相当。脊椎有154个骨节，可以左右弯曲扭动。

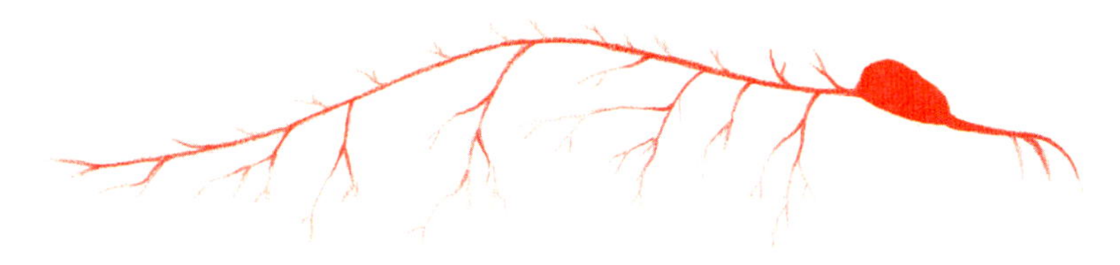

| 滑鱼毒腺连接着神经系统

| 滑鱼生活的水底洞穴

| 生活习性

滑鱼的身体肥硕黏腻，擅长钻洞，一般生活在河底的泥沙中，有些会躲藏在水底的洞穴或岩缝之中，或在泥沙中钻出一个不深不浅的洞，头朝外藏于其中。当有鱼群游过，滑鱼就会迅速冲出来，咬住猎物，拖进洞里享用。

滑鱼的祖先来自海洋，因此偏好盐分高的水域。到繁殖时节，它们会沿滑水游入诸妣之水，去往与之相连的咸水湖。它们一生只产一次卵，但数量可以达到数十万枚。将卵产在湖底的细沙上或水草根部之后，滑鱼不再返回滑水，而是在咸水湖中生活，直到死亡。由卵孵化出的幼鱼是透明的，骨骼和血管都清晰可见。它们在返回滑水的路上成长，直到进入滑水，才慢慢出现红白的体色。

又北三百里，曰带山，其上多玉，其下多青碧……彭水出焉，而西流注于芘湖之水，其中多儵鱼，其状如鸡而赤毛，三尾、六足、四目，其音如鹊，食之可以已忧。

——《山海经·北山经》

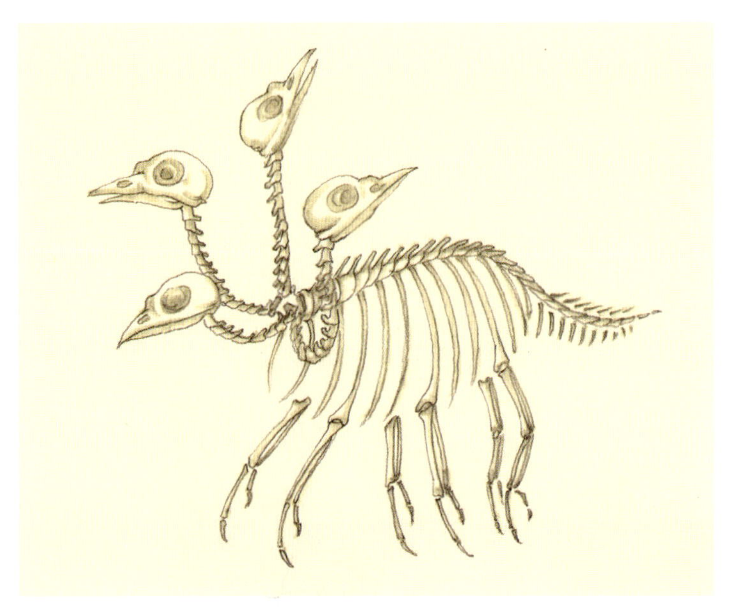

| 儵鱼骨骼图

| 栖息环境

茈湖位于北山第一山系的西面，只有一条河汇入这片湖水，那就是带山上发源的彭水。彭水的流量很大，裹挟着大量泥沙和矿石，进入茈湖之后才平缓下来。湖内水草丰富，鱼虾成群，也有许多形状怪异的奇特动物，例如儵鱼。

| 形态特征

儵鱼的外形具备了鸟类、鱼类和昆虫的特征，头像信鸽，尾似金鱼，三对足肢的形状近似于蝉足。它们有四个头，连接在一块雪花状的椎骨上，四条颈椎都很灵活，可以同时监视不同方向。它们的翅膀已经完全消失，头部羽毛从胸前开始过渡为鲜红的鳞片，鳞片呈窄长的菱形，与羽毛之间的分界线十分模糊。尾鳍分为三片，由柔软的鳍条支撑，在水中像花朵一样绽开。

它们依旧用肺部呼吸，可以去往陆地；足肢由皮肤和鳍棘构成，是鳞片的衍生物，其骨骼与脊椎并不相连；早期的足肢分成三趾，但随着生存环境的变化，其中一个足趾逐渐退化，只保留了前后两趾，趾尖伸出长长的尖爪，这种结构能帮助它们攀爬湖岸边的草茎和树干。

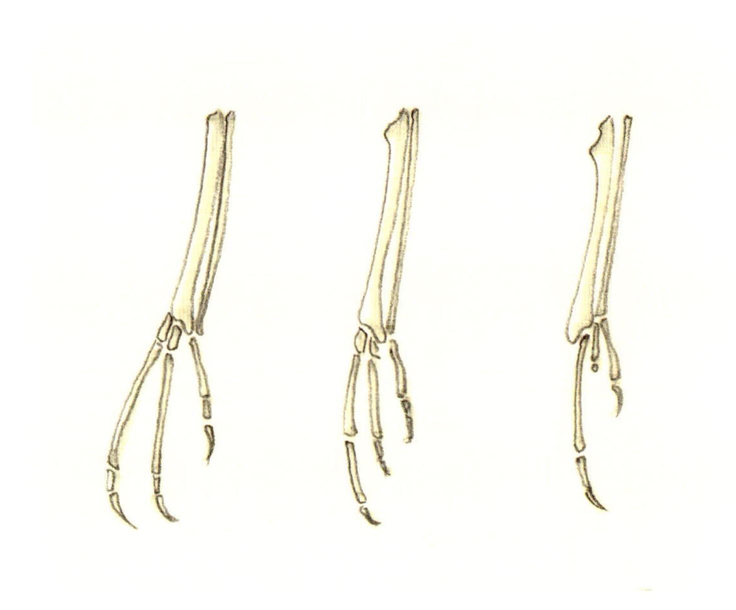

| 鯈鱼足肢骨骼退化图

| 颈骨连接处

| 生活习性

鯈鱼的四个头分别朝着不同方向，分工明确，职责轮换；虽然食道有四条，但消化器官只有一套，所以每次只有一个头进食，另外三个头负责守望。睡觉也是如此，每个头轮流休眠，另外三个头保持警醒。在这种分工机制下，鯈鱼可以持续不断地活动，甚至睡眠和进食同时进行，被天敌追捕时也可以不间断地逃跑。但鯈鱼的寿命并不长，因为它们的头太重，游动速度慢，很容易被捕食者捕获。

它们能在岸上呼吸，经常通过伸进水中的树枝、根茎、草叶等攀爬到岸上，啄食昆虫和软体动物。

又北四百里，曰谯明之山。谯水出焉，西流注于河。其中多何罗之鱼，一首而十身，其音如吠犬，食之已痈。

——《山海经·北山经》

| 何罗鱼骨骼图

| 形态特征

何罗鱼只有一个头，却有十个身躯。与头相连的是主躯干，其余肢体则以不同的方式连接。主躯干脊柱左右各分出三条脊骨，其中一条脊骨上又连接着三条脊椎，每条脊柱都构成一部分躯干，有完整的肋骨和鳍骨，这使得何罗鱼整体看上去非常臃肿。

它们的脊骨灵活性很强，不像其他硬骨鱼类那样只能左右摆动。何罗鱼浑身布满细鳞，颜色由紫过渡到黄色，在游动时能产生视觉干扰，迷惑捕食者。

| 栖息环境

谯水从谯明之山上发源，向西流入黄河。谯明之山不生草木，山中蕴藏着大量青雄黄一类的矿物，因而谯水中盐分较高，其中生长着许多种藻类植物和浮游生物，因而也成为何罗鱼的理想栖息之地。

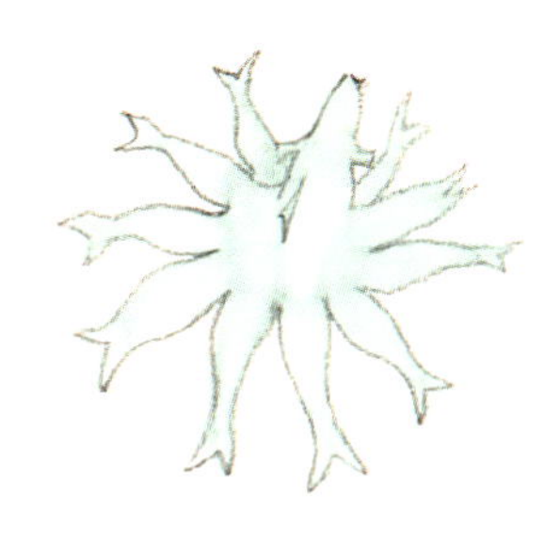

| 何罗鱼游动示意图

| 生活习性

何罗鱼以水中的昆虫和软体动物为食。游动的时候，十个身躯都向不同的方向散开，然后迅速合拢，以此推动水流，因此，它们能反方向移动，只是速度很慢。为了减轻身体的负担，何罗鱼只有主躯内部存在脏器，例如消化系统、鱼鳔等，其他身躯主要起迷惑敌人的作用。副躯的损伤并不会导致何罗鱼丧命，而一旦主躯受损，完好的副躯中就会发育出内脏器官，取代主躯的功能，并且逐渐长出新的副躯。

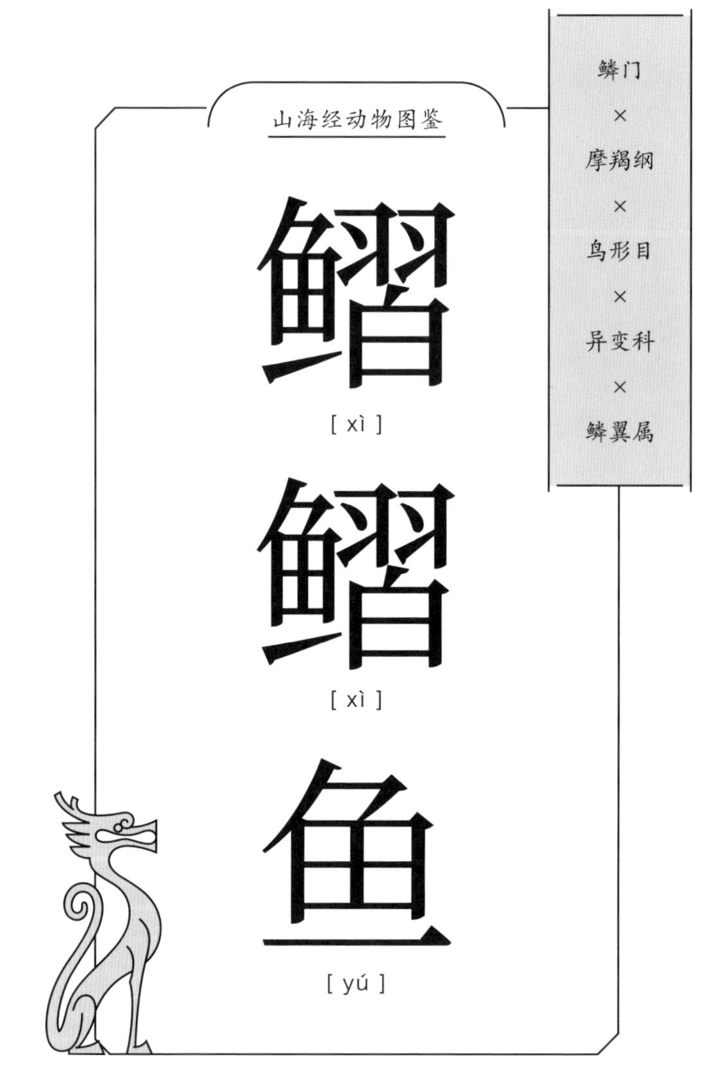

又北三百五十里，曰涿光之山。嚻水出焉，而西流注于河。其中多鰼鰼之鱼，其状如鹊而十翼，鳞皆在羽端，其音如鹊，可以御火，食之不瘅。

——《山海经·北山经》

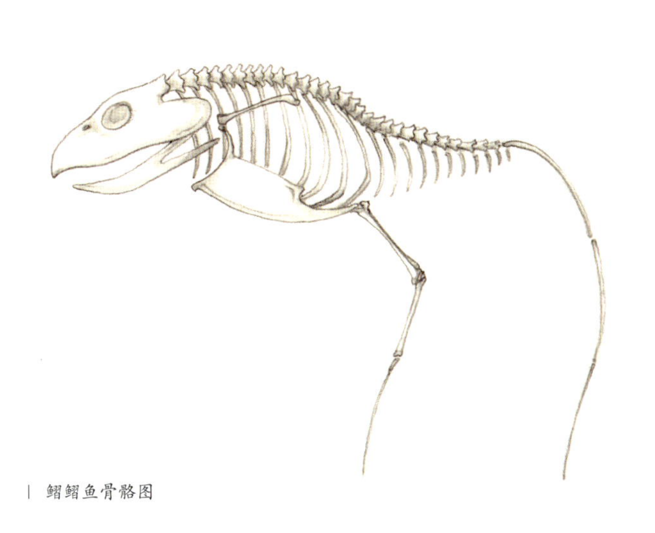

鳛鳛鱼骨骼图

蜻蜓翅膀（上）与
鳛鳛鱼翅膀（下）对比图

形态特征

鳛鳛鱼和文鳐鱼同属摩羯科鸟形目，但都不是传统意义上的鱼类。鳛鳛鱼的情况更为特殊，正处在一个变异的中间阶段。它们的头骨又大又重，没有鳞片和皮肤覆盖，喙短且笨重；背部覆盖鳞片，延伸到身尾连接处，逐渐转化为羽毛；尾巴是一片扁平的鳍，内部有两节鳍骨，只能上下摆动。

肩胛骨下移合成一块胸骨，翅膀退化成鳍，原本的指骨变成了细长的骨刺，外部附着膜状结构；背部鳞片坚硬，为蓝色，腹部鳞片细软，为灰色；它们身体的两侧之间有一道明显的分界线，翅膀从分界线上长出，左右对称，共有5对，膜质，上面分布着明显的网状翅脉。鳛鳛鱼的翅膀外形上与蜻蜓的相似，但形状很不规则，翅脉也相对稀疏。

栖息环境

鳛鳛鱼生活的地方叫作嚻水，是黄河的支流，其源头在《山海经 · 北山经》中的涿光之山。山上多高大的乔木，松柏一类的耐寒植物位于高海拔区域，棕橿等需水量大的树木则分布在山脚下。因此嚻水的上游水温较低，下游温度高，水中植物和动物种类非常丰富。

| 鳛鳛鱼头骨发育过程图

| 生活习性

| 鳞片向羽毛转化

鳛鳛鱼虽生活在水中，但依靠肺部呼吸；有翅能飞，翅膀也能作为鳍使用。幼年时期头骨较小，有薄薄的黏膜层包裹，随着发育，喙逐渐伸长，头骨变厚变硬，黏膜随之蜕去，头骨完全裸露出来。

它们的叫声如同喜鹊，喜欢食用水中的昆虫和软体动物，可以短暂地离开河流，捕捉空中的飞虫。由于没有足，所以不能停栖，往往像飞鱼一样跃起，飞行一小段距离后落回水中。

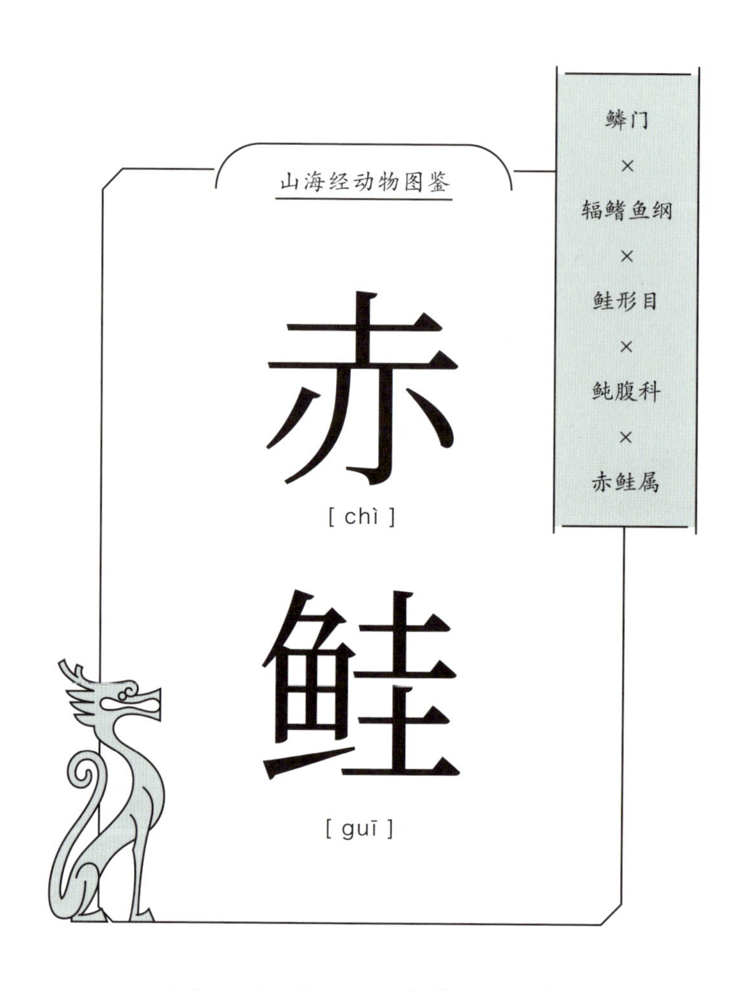

又北三百二十里，曰敦薨之山，其上多棕枏，其下多茈草。敦薨之水出焉，而西流注于泑泽。出于昆仑之东北隅，实惟河原。其中多赤鲑。

——《山海经 · 北山经》

| 赤鲑常态（上）与腹部最大程度拉伸（下）对比图

| 栖息环境

赤鲑是一种洄游性淡水鱼类，出生于高山上的河源，但生活在山脚下的湖泽。这种鱼类主要见于敦薨之山。山上树木繁盛，山下茈草遍野，山顶流出敦薨之水，汇入西面的泑泽。这是一片广阔清凉的湖水，位于昆仑山的东北部，是黄河的源头。赤鲑主要生活在泑泽中，但通过敦薨之水进行洄游。

| 形态特征

赤鲑浑身鲜红，身体侧扁；背鳍小而分裂，尾鳍圆，胸鳍连着下颌，腹鳍靠后；身上布满大大小小、形状不规则的黑色斑块；腹部构造奇特，鳞片稀少，可以进行拉伸，造成幅度较大的形变。

在洄游时，受到水流的影响，它们的头骨构造会产生变化。生活在泑泽中的赤鲑吻部较短，上下颌等长，可以相互吻合，但随着它们开始逆流而上，去往敦薨之水的上游地带，头骨就开始变形，吻部逐渐伸长，下颌长度明显超过上颌，口裂变大，上下颌无法吻合。这种变化能够减缓水流对它们头部的冲击，便于逆流游动。

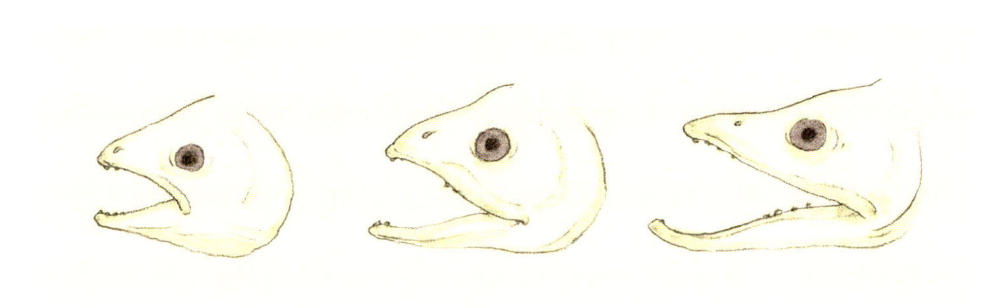

| 水流造成的头骨形变过程图

| 形态特征

赤鲑在敦薨之山的高山地带出生，先在寒冷的水域居住1~3个月，随后顺流而下，进入泑泽。泑泽中食物资源丰富，它们可以捕食水生昆虫、虾和小型鱼类。

赤鲑每4年洄游一次，整个过程需要近1个月时间。在洄游过程中，它们不会进食，因此在出发之前，需要储备足够的能量。它们的腹部可以拉伸，扩展到原来的三倍大，储蓄足够的脂肪，供给它们一路奋进。在上游产卵之后，赤鲑又会集体回到泑泽，一生只洄游两次，第二次洄游的赤鲑产卵后便会死去。

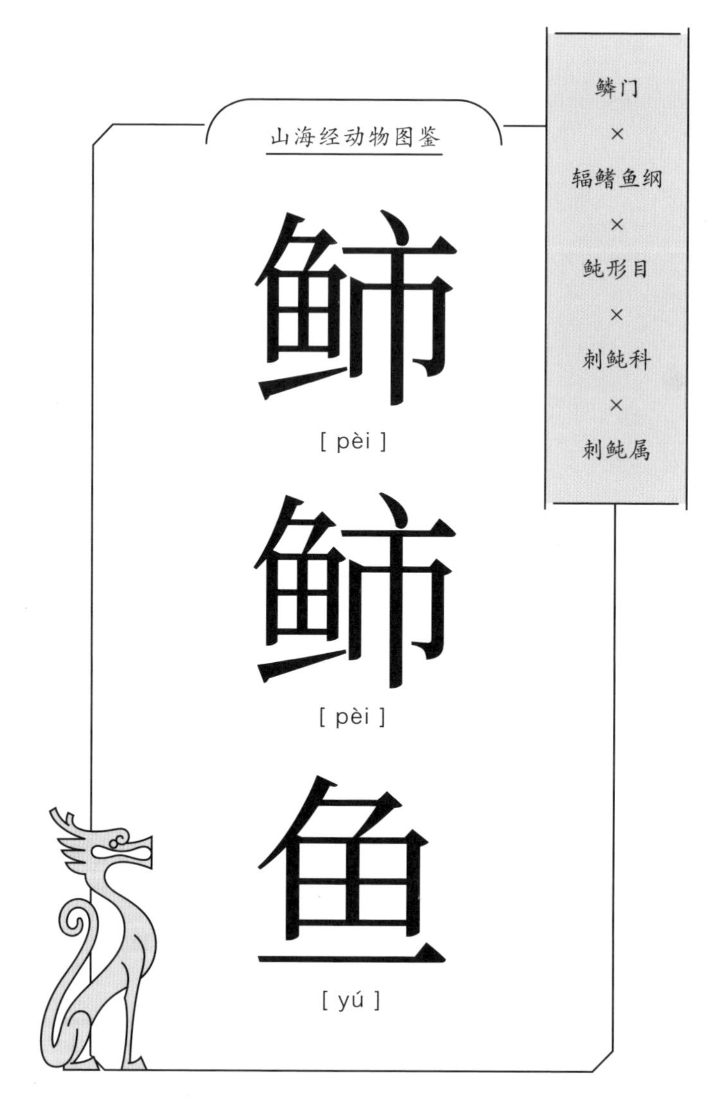

又北二百里，曰少咸之山，无草木，多青碧……敦水出焉，东流注于雁门之水，其中多魳魳鱼，食之杀人。

——《山海经 · 北山经》

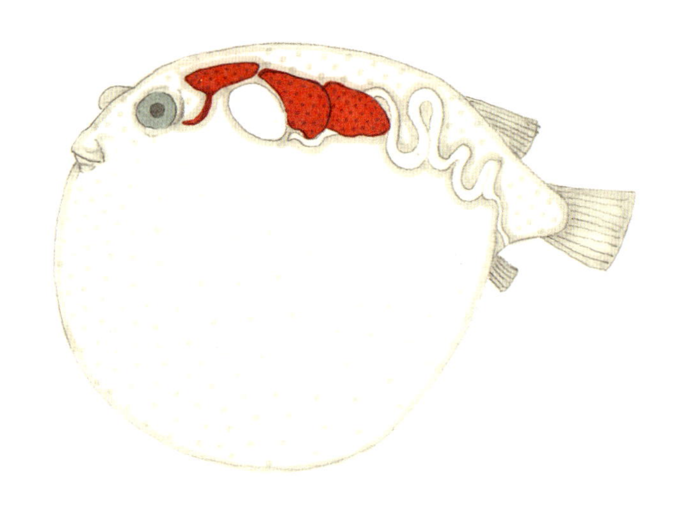

| 鯑鯑鱼的毒腺位置图

| 栖息环境

敦薨之山的北面有一座少咸之山，地貌与大咸之山很相似，山高而四方，草木不生，到处都有裸露出地面的玉石矿藏。山顶的泉水汇聚成一条溪水，名叫敦水，流入东部的雁门之水。敦水中生活着一种剧毒鱼类，被称作鯑鯑鱼。

| 形态特征

鯑鯑鱼又叫肺鱼，在它们不鼓起腹部时，外形与普通鱼类并无区别。它们的头骨构造简单，牙齿固化成上下两块牙板，可以碾碎鱼虾的骨骼和外壳；体型不大，身长约1米，双眼外翻，鱼鳍小，呈三角形。

眼睛后方有毒腺，其余器官基本挤在靠近背部的位置，因为它们的肠道下方有一个气囊，可以迅速膨胀；腹部的皮肤弹性大，可以随气囊膨胀而伸展，把身体变成一个圆球，以增大体积，吓退天敌。

| 鲈鲈鱼的食物

| 生活习性

鲈鲈鱼身体表面的鳞片全部演化成了小而粗的尖刺，正常状态下紧贴在身上，对游动不产生影响；一旦遇到危险，鲈鲈鱼会立刻浮到水面吸入大量空气或者直接吞进湖水，使气囊膨大，而尖刺也纷纷竖立起来，刺伤捕食者，令其难以下口，自动退却。

它们以小鱼、虾蟹、贝类为食，也能吃水生昆虫和水藻，有洄游产卵的习惯，通过雁门之水游入敦水，再逆流而上，推进到少咸之山高处的小湖中，产卵之后便会死亡。

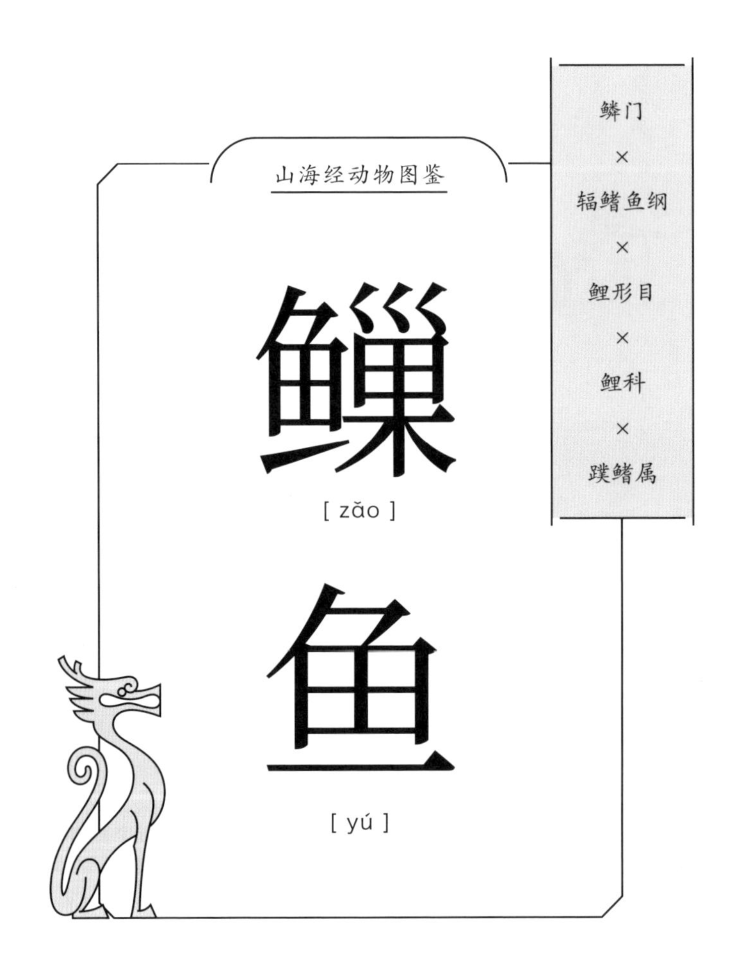

又北二百里，曰狱法之山。瀤泽之水出焉，而东北流注于泰泽。其中多鱳鱼，其状如鲤而鸡足，食之已疣。

——《山海经·北山经》

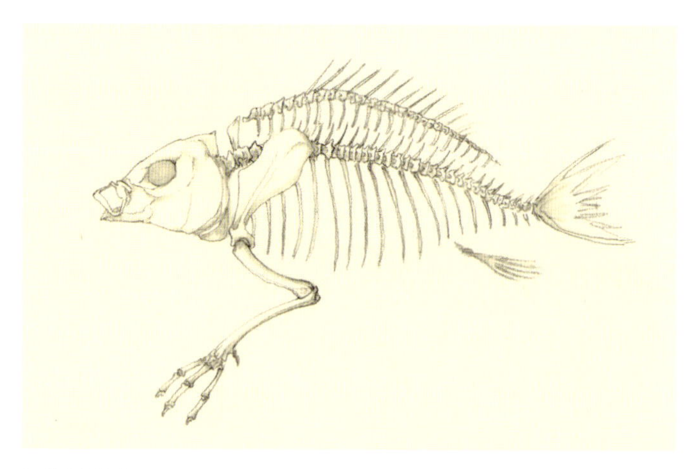

| 鱳鱼骨骼图

| 栖息环境

鱳鱼属于淡水鱼类，能适应多种水质和环境，多见于东北方的泰泽之中。泰泽的支流中有一条瀤泽之水，从狱法之山发源，是鱳鱼这一物种的起源地。它们顺着河水进入泰泽中，生活在近底层的水域，由于泰泽里食物更丰富，所以它们繁殖速度很快，达到一定数量之后，再逐渐扩散到其他水域之中。

| 形态特征

鱳鱼的身体形状近似鲤鱼，浑身青色，鳞片较大，上有红斑；唇部两侧各有一条短须，眼部微凸；吻部稍长，向下弯折；身体两侧有明显的侧线；背鳍位置靠后，尾鳍分叉。

它们胸鳍的位置长出了两条足肢，骨骼完备，有形似动物肩胛的骨板连接在脊骨上；足肢结构类似鸟类的脚，膝盖后凸，使腿可以向前弯折；分三趾，长而有爪，中间有蹼连接；足后有距，腿上还有鱼鳍增生，一般分为四片。

| 游动时双足收起

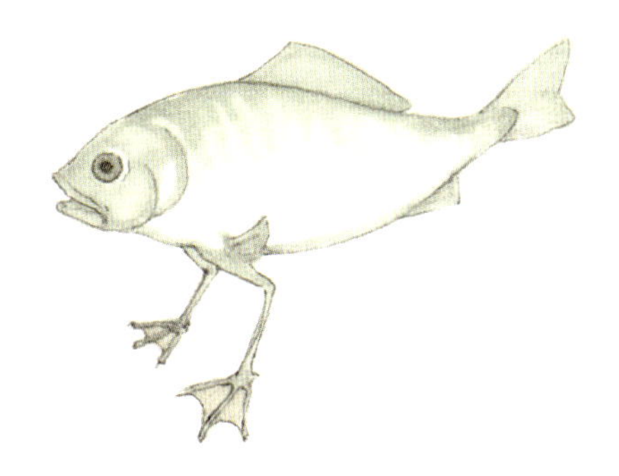

| 站立时双足前伸

生活习性

鳔鱼生活在湖泽底层，带蹼的足可以踩在泥沙上面而不下陷。它们通常整天蹲守在水草中间，把自己伪装成植物的一部分，等待猎物游过；猎食水下的昆虫、软体动物、小型虾蟹等底栖生物，游动时，双足向后收起，紧贴身体。鳔鱼在春天繁殖。泰泽中的一部分鳔鱼会选择洄游，到瀼泽之水的上游去产卵，但大部分已经放弃了这一习惯，直接在泰泽中水质良好的地方产卵。雌鱼一般会把卵藏在水草叶片下或碎石间等隐蔽的位置。

到了冬天，湖水冰冻，它们会进行冬眠；在此期间不进食，会把足肢半埋进泥沙中，防止自己被水流冲走。

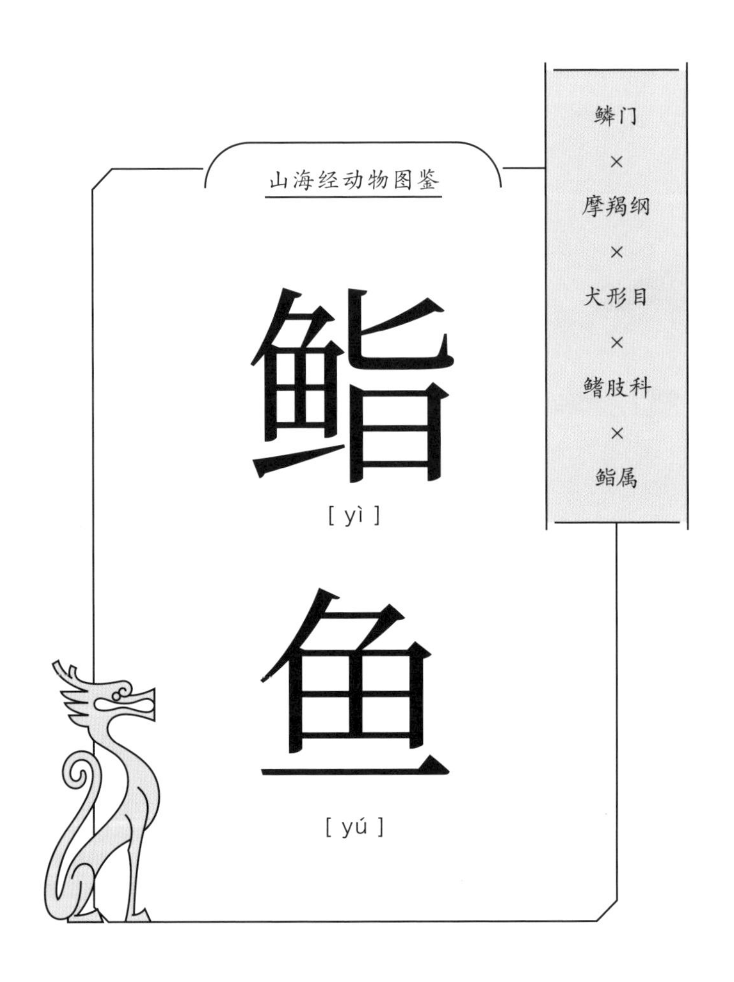

又北二百里，曰北岳之山，多枳棘刚木……诸怀之水出焉，而西流注于嚣水。其中多鮨鱼，鱼身而犬首，其音如婴儿，食之已狂。

——《山海经·北山经》

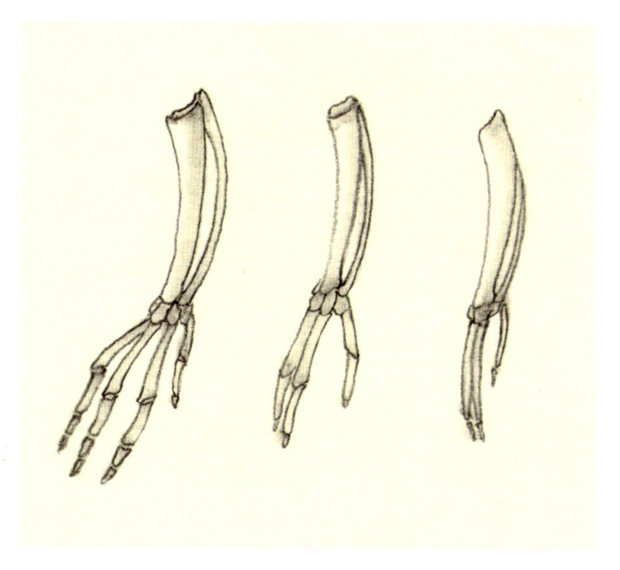

| 鮨鱼趾骨退化过程图

| 栖息环境

鮨鱼源起于诸怀之水。这是一条从北岳之山发源的河流，沿山体蜿蜒而下，汇入西面的嚣水中。鮨鱼喜好温暖富氧的水域，有洄游习性，所以大多栖息在诸怀之水与嚣水交汇的河段，在春夏季节到诸怀之水的上游产卵。

| 形态特征

鮨鱼通体银白，背部排列着黑色斑纹，鱼鳍末端均为黑色；头骨膨大，吻部尖长，口裂大；眼眶上凸，额头斜平，近似犬科动物的头颅；头颈连接处伸出两片皮肤增生的软鳍，没有实际的作用。

背鳍非常大，第一鳍骨极长，略呈弧形，使背鳍像一面旗帜，可以劈开水流；胸鳍、腹鳍、臀鳍均成对分布；尾长，尾鳍分叉，如同燕尾。除此之外，鮨鱼还有一对鳍足，内部保留了肢骨痕迹，说明它们曾经在地面上生活过。进入水下以后，后肢消失，前肢的骨骼变细，原先的四趾变成两趾。

| 鮨鱼骨骼图

| 生活习性

鮨鱼游动的速度非常快，全速前进时可以通过肌肉控制背鳍，使鳍骨后倒，贴近背脊，减少水流阻力，让它们可以轻松捕食水中的游鱼。

它们用肺呼吸，需要经常到水面换气；喜爱阳光的照射，多见于河水表层，较少下潜。

在求偶时，雄鱼背部的黑色斑纹会显著增加，频繁地浮到水面鸣叫，叫声如同婴儿的哭叫，很容易引来山上野兽诸怀的捕食；胎生，一胎只生一个，幼鱼会跟随雌鱼生活直到成年。

西南四百里，曰昆仑之丘，实惟帝之下都，神陆吾司之……有鸟焉，其状如蜂，大如鸳鸯，名曰钦原，蠚鸟兽则死，蠚木则枯。

——《山海经·西山经》

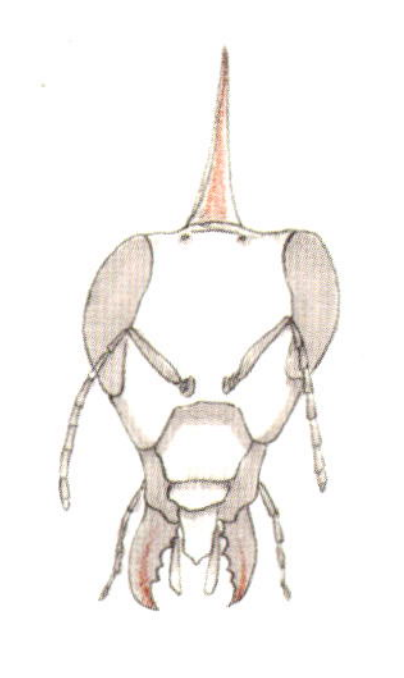

| 钦原头部细节图

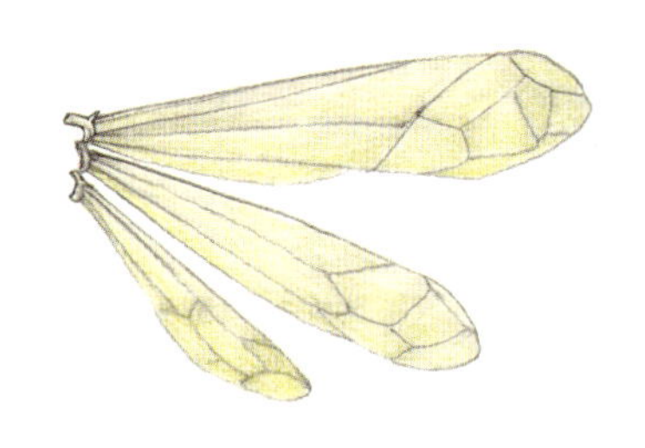

| 钦原三对翅膀细节图

| 蜂巢

栖息环境

昆仑之丘是天帝在下界营建的都城，传说越过昆仑丘，能找到通天的神柱，登上天梯，就能到达天界。不过，路途中有无数奇异的神明坐镇，比如虎身九头、守卫九天各部的神明陆吾；人面马身、掌管帝苑节气的英招神等。昆仑丘植被繁盛，生活着许多怪异的动物，例如栖息在昆仑丘山谷中的钦原，就是一种外表可怖又带有剧毒的生物。

形态特征

钦原的体型比鸳鸯要大，浑身覆盖着漆黑的外骨骼，共有三对翅膀，均为橙红色的透明膜翅。由于体型过大，它飞起来会发出巨大的嗡嗡声，古人曾以为这是一种不祥的鸟类。当然，钦原实际上是一种昆虫，长着红色的复眼、竹节状卷曲的触须，细腰细足、身躯分节，浑身长满尖锐的小刺。

它最突出的特点是一上一下两根毒刺：一根长在头顶，连接着胸腔内的毒腺，镰刀状的口器也与毒腺相连；另一根在尾端，毒腺位于腹部，结构更发达，毒性也更强烈。毒刺轻易不会折断或脱落，其尖端有细密的倒钩，不仅能扩大伤口，还可以加速毒素的扩散。钦原的毒性非常强，被它叮咬的动物不出半刻就会暴毙，没有救治的办法。

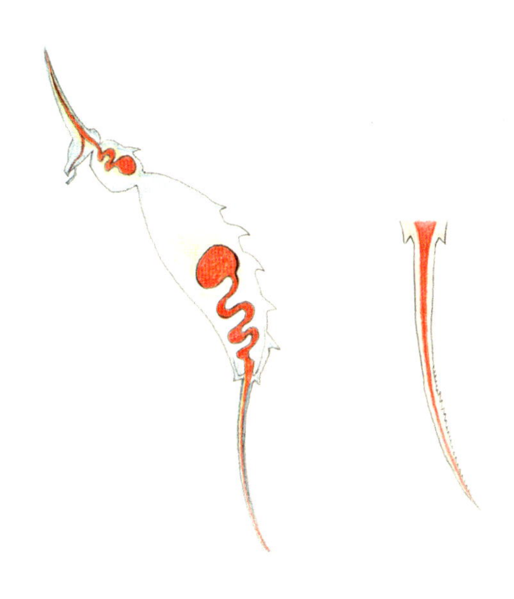

| 钦原双毒腺（左）与毒针末端倒刺（右）示意图

| 生活习性

钦原并不食肉，但常常攻击其他动物，这是在强调它们领地的权威，警戒其他闯入者。它们主要通过吸食树汁、花蜜、果实的汁液来获取养分。

一般情况下，钦原很少会用毒刺蜇树木，但筑巢时期例外。为了营造适宜的筑巢环境，它们会寻找一棵健康的大树注入毒液，让其从内部腐烂，给幼虫们提供食物和温暖舒适的成长空间。它们一年只繁殖一次，幼虫在枝头的巢中孵化，随后进入树的内部，将整棵树全部蛀空，然后化蛹，最后穿破树皮表面，长成成虫，飞舞在树林中。

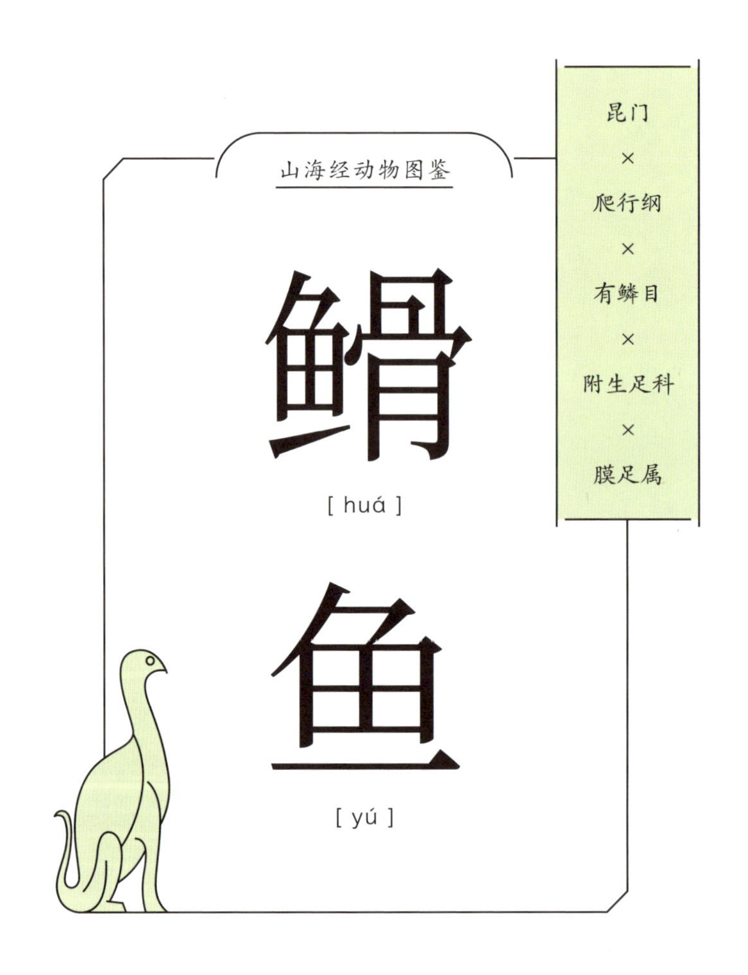

又西三百七十里，曰乐游之山。桃水出焉，西流注于稷泽，是多白玉。其中多鮹鱼，其状如蛇而四足，是食鱼。

——《山海经·西山经》

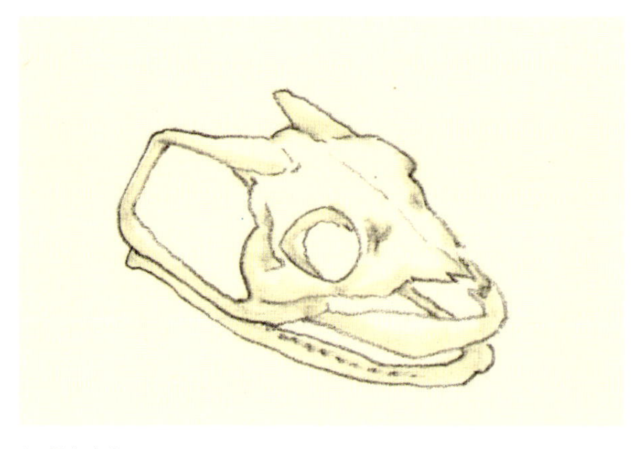

鲳鱼头骨

鲳鱼尾骨

栖息环境

距离昆仑之丘三百多里，有一座乐游之山，是天帝园圃的组成部分。山上流出清澈的溪水，水底常出白玉。溪边植被稀疏，只有河道两边长着繁盛的野草，许多昆虫在这里孵化，又成为水中游鱼的食物，形成简单的食物链体系，而处于顶端的则是以鱼为食的蛇形生物——鲳鱼。

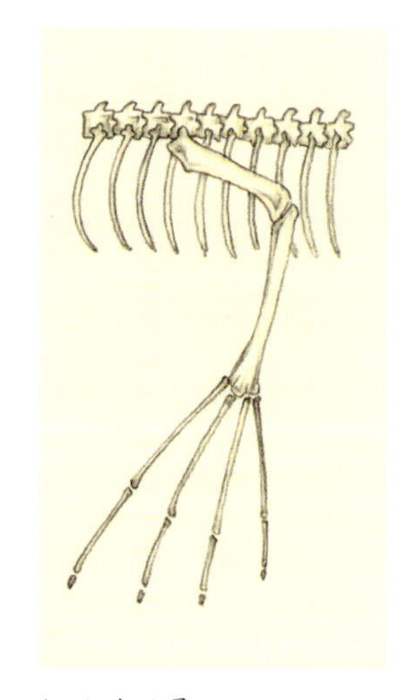

鲳鱼足骨

形态特征

鲳鱼的全长大约在1米，身体呈圆柱形，头部较宽，颈部细小，腹部粗圆，到尾部又收缩变细；口裂很大，牙齿非常细小，毒性弱，但也足以快速麻痹被它咬住的鱼类。

鲳鱼是一种蛇，但主要生活在水中，因此得名为“鱼”。为了适应水底的环境，它们长出了鳍来帮助游泳。它们的脊骨连接有四只脚，分为两对，每对之间相距很远。这是进化不充分的表现，因为这两对足肢属于两栖动物的特征，骨骼细长，分为四趾，趾间有半透明的蹼连接。尾巴也不同于陆地上的蛇，末端的肋骨不再弯曲，而是水平张开，像扁平的尾鳍，可以灵活转动，使它们游动更加迅速。

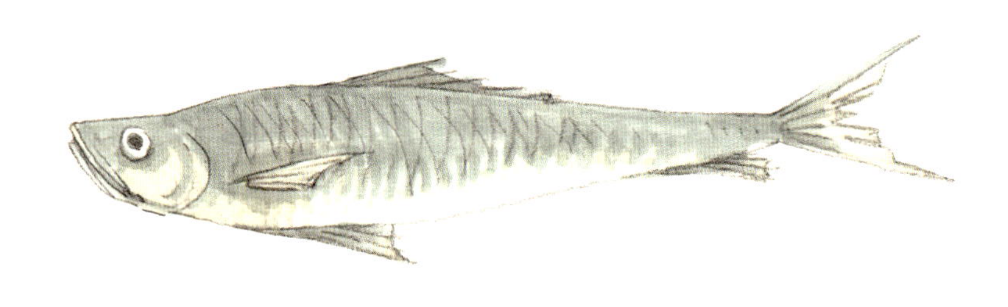

| 鲭鱼的食物

| 生活习性

鲭鱼在水下可以通过皮肤进行呼吸，但不能长时间停留在水底，必须浮到水面上换气。

它们可以短暂地离开河流到陆地上去，这一般是为了产卵。但它们的足太纤细，对行走没有太大帮助，因此不能离开水源太远。通常，鲭鱼会选择细软的沙滩或积满沙土的岩石缝隙产卵，一次产卵4~7枚，然后回到水中。

卵自然孵化后，新生的幼体自行回到河流中生活。鲭鱼在乐游之山没有天敌，不论是卵还是幼体，都不必担心遭受攻击。

又西三百五十里，曰英鞮之山，上多漆木，下多金玉，鸟兽尽白。涴水出焉，而北流注于陵羊之泽。是多冉遗之鱼，鱼身蛇首六足，其目如马耳，食之使人不眯，可以御凶。

——《山海经·西山经》

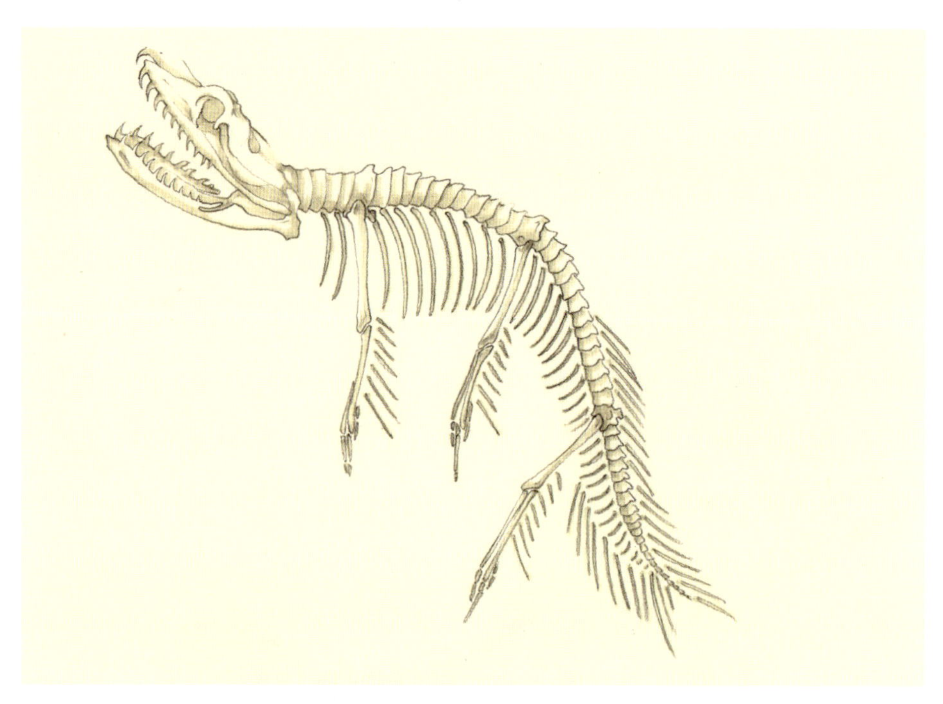

| 冉遗骨骼图

| 栖息环境

在大陆的西北方向，有一座英鞮之山，山上是一片苍翠的漆木林，山下则蕴藏着无数金玉矿产。山中的鸟兽全都是白色的，在树林中穿行时非常显眼。山脚下有陵羊之泽，羚羊、白鹿等动物经常成群结队来湖边饮水。

| 形态特征

冉遗之鱼的名字中虽然带有“鱼”字，但实际上是爬行类动物，只能用肺呼吸。它浑身长满绿色的鳞片，和湖水浑然一体，在岸边饮水的动物根本察觉不到它靠近。它们的头近似蟒蛇，牙齿排布细密，尖端弯曲，带有倒钩，眼睛浑圆，竖瞳，微微向外凸，对光线非常敏感。鼻孔靠近吻部尖端，便于探出水面呼吸换气。

冉遗有三对足，足趾全部退化，足肢侧面长出一列骨刺，之间有蹼状薄膜连接。骨刺可以收拢和张开，张开时薄膜会被撑满，在水中如同船桨一样，帮助冉遗迅速游动。头两侧斜出片状的鳍状结构，其中并无骨骼，能随着水流漂荡，上面分布着许多神经元，可以感知水温、流速、流向等，帮助冉遗了解所处的环境。

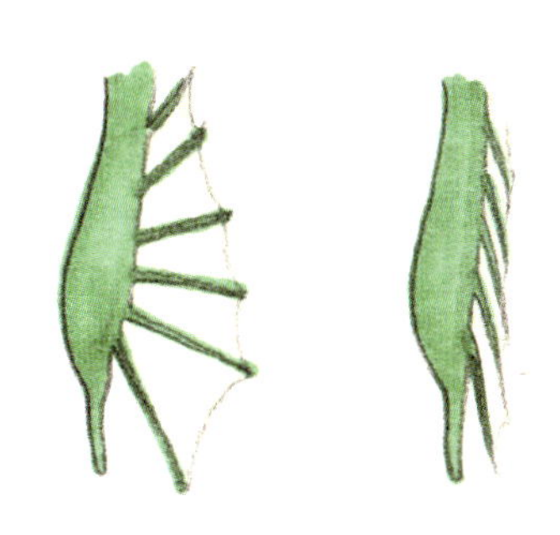

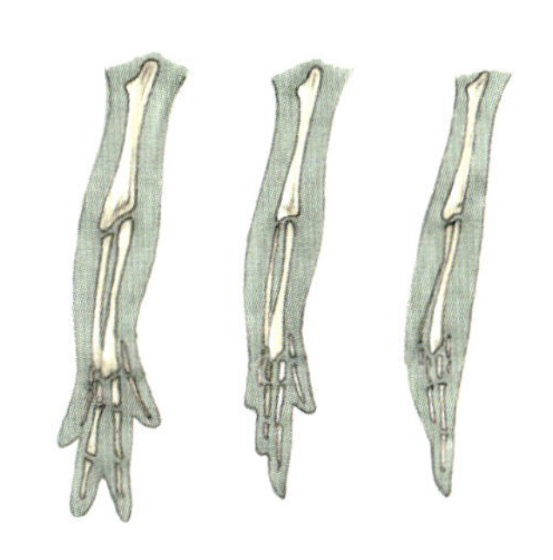

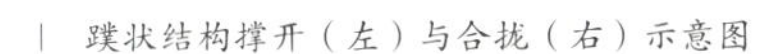

| 蹼状结构撑开（左）与合拢（右）示意图

| 足骨退化过程图

| 生活习性

冉遗的食物来源是来陵羊之泽饮水的动物，它们可以耗费大量时间埋伏在芦苇丛或岩石的阴影中，等待羚羊、鹿、野兔等动物放松警惕，然后发动突袭，用钩状的牙齿扣住猎物，拖入水中。由于牙齿构造单一，无法撕裂食物，因此当冉遗捕获猎物后，血腥味会引来同类，它们聚集成群，围上来轮流撕咬猎物，最终把猎物分成小块，一起享用。

到了繁殖季节，雄性冉遗会抢占靠近岸边的芦苇丛，压倒苇秆，形成一个高出水面的平台，作为安放冉遗卵的位置。因为它们无法上岸，但卵必须在水面以上孵化。雄性之间会因争夺产卵位置而相互追逐撕咬。

北二百八十里，曰大咸之山，无草木，其下多玉。是山也，四方，不可以上。有蛇名曰长蛇，其毛如彘豪，其音如鼓柝。

——《山海经·北山经》

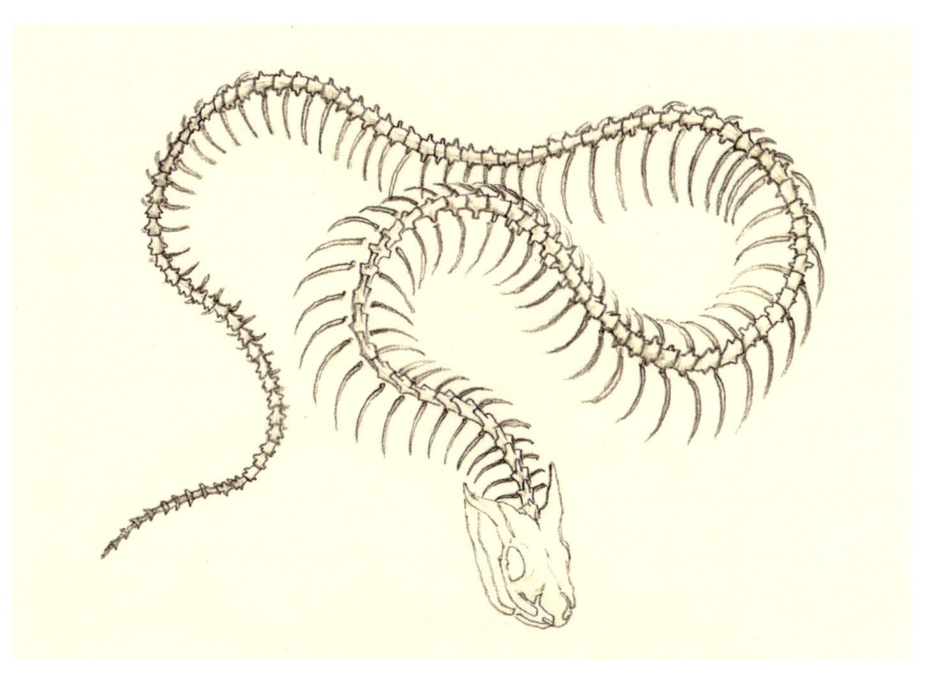

| 长蛇骨骼图

| 栖息环境

大咸之山位于小咸之山北部二百八十里。小咸之山冬夏有雪，大咸之山的纬度更高，理应更加寒冷，但却是一座没有积雪的四方高台。山上不长草木，山势陡峭，内部常有轰隆隆的声响，应是一座炎气旺盛的活火山。

没有人或动物敢攀爬大咸之山，不仅因为山体陡峭光滑、难以攀登，更因为在山上盘踞着一条巨大的蟒蛇。

| 形态特征

长蛇是世界上最大的蛇类，身上的每一块鳞片都像一叶小舟那么大；整个身躯盘在山上，头在山顶直入云层，尾尖垂在山脚。

长蛇从头部起沿着背脊向下，分布着鬃毛一般的毛发，尾尖也有簇状长毛，造型近似那父的尾巴；全身的鳞片均为黑色。

其吻部下方的口部和腹侧有一块红色区域，那里的鳞片重叠，可以拉伸，结构上是一个声囊。发声前，声囊鼓起，收缩时快速喷出气体，形成雷鸣一般的响动，对四周山川居住的人和动物而言，如同天际传来的鼓声。

长蛇与水牛体型对比图

生活习性

长蛇体型庞大，食量也很大，但周围的环境比较恶劣，除火山地带相对温暖，其他地方都是冰天雪地，植被和动物资源都十分稀少，而长蛇不耐寒冷，不能离开大咸之山，所以只能忍受饥饿、减少活动。

长蛇声囊收起（上）与鼓出（下）对比图

一旦有动物路过，它会立刻出击，一口吞下猎物；其头颅体积是普通黄牛的三四倍，可以轻松地咽下任何生物；进食后长蛇又恢复到不动的状态，依靠消化道分泌的消化液慢慢腐蚀食物，所以消化速度很慢。

“巴蛇食象，三岁而出其骨”说的就是长蛇这类动物，意思是吞入大象这样体量的猎物，需要三年时间进行消化，才能吐出骨头。

又北百八十里，曰浑夕之山，无草木，多铜玉。嚣水出焉，而西北流注于海。有蛇一首两身，名曰肥遗，见则其国大旱。

——《山海经·北山经》

| 肥遗双身骨骼连接示意图

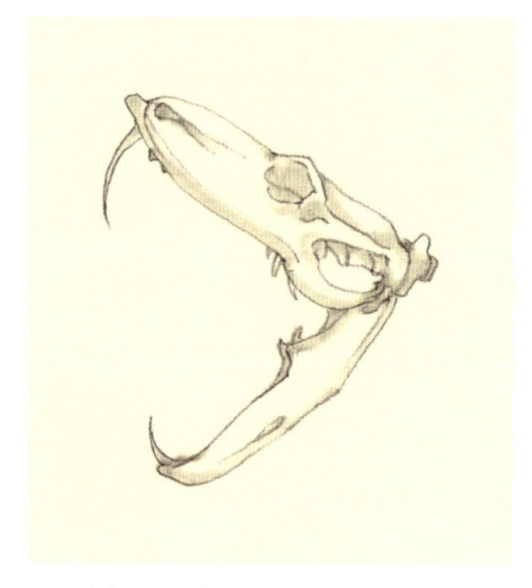

| 肥遗毒牙与头骨图

| 形态特征

肥遗头部呈三角形，口裂较大，口内纯黑，包括毒牙与蛇信；眼睛靠近鼻孔，略微外凸；背侧覆盖着尖锐的三角形蛇鳞，呈浅紫色；颈部以下约七寸的位置出现分叉的脊骨，形成一粗一细两个身体；细小的副躯常常盘在主躯上。

肥遗的蛇信很长，在口腔内可以折叠；毒牙分为上下两对，位置不对称：一对位于吻部尖端，另一对相对靠后，在眼睛下方；上颌毒牙较长，下颌的较短。

| 栖息环境

肥遗是一种旱地蛇，居住在浑夕之山上。此山临近大海，发源于山上的嚣水沿西北坡流入海中。由于水汽充沛，北面山脚有稀疏的树林；东南坡气候干旱，山体岩石裸露、草木不生，多见铜矿和玉矿。肥遗主要栖息在南坡，只有繁殖季节才会进入湿润的北部。

肥遗会用膜囊将卵悬挂在树上

断尾后重生示意图

生活习性

肥遗用粗壮的主躯爬行，副躯则起引诱猎物或分散敌人注意力的作用；副躯具备壁虎一样的断尾能力，被敌人咬住或被追击时，能自行断开；断尾内部的神经能使其持续摆动，震慑敌人，而副躯会在1个月内长出新的尾尖。

在繁殖期，它们会离开山南，进入山北的树林，盘在树梢上产卵。卵被装在一层黏性极强的膜囊中，粘在树枝上，如同悬挂的果实一样。一个膜囊中能盛放3~5枚卵，孵化后的幼蛇会咬穿膜囊，沿着树枝爬到地面，回到山南的干旱地区生活。

又北三百五十里，曰敦头之山，其上多金玉，无草木。旄水出焉，而东流注入邛泽。其中多䑏马，牛尾而白身，一角，其音如呼。

——《山海经·北山经》

| 䍺马头骨细节图

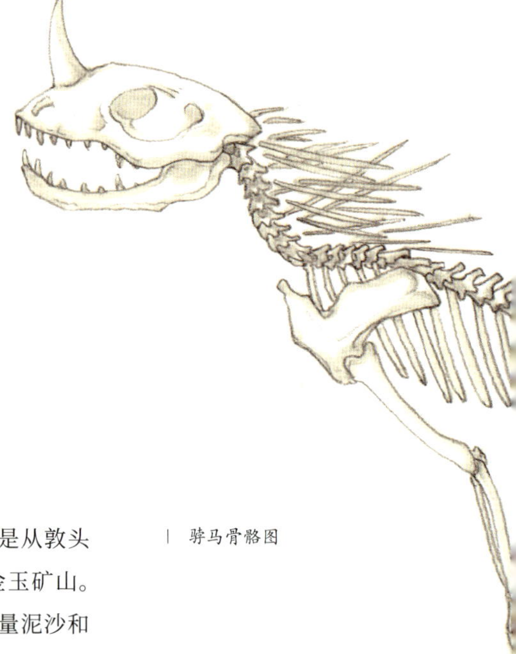

| 䍺马骨骼图

| 栖息环境

䍺马生活在邛泽之中。邛泽位于大陆北方，上游是从敦头之山发源的旄水。敦头之山是一座寸草不生的金玉矿山。旄水从山顶发源，沿山体东侧流下，水中混杂大量泥沙和砂石，导致邛泽的水质较为浑浊，且矿物含量较高。

| 形态特征

䍺马是生活在水中的爬行动物，浑身布满形似树叶的绿色鳞片，沿背脊向下逐渐缩小；头大而平，鼻上有独角，下方长出一对长须，游动时漂在身后；口裂大，喉部和前胸各有一个鸣囊。

四肢较短，后肢退化严重；分为四趾，中间两趾较长，而一、四趾有退化趋势；趾间有蹼，但蹼的面积很小；头颈、下颌、四肢上肢端以及尾尖均有棘状鳞片分布，但只有头颈处的表现出骨质化，其余部位的鳞刺较为柔软。

| 声囊位于下颌

| 喉囊位于前胸

| 生活习性

犽马可以在水中直立，使角和鼻孔露出水面，进行呼吸。角的外部包裹着一层极薄的皮肤，可以感知温度、湿度，甚至感受空气的震动，以此判断是否有动物接近湖岸。

它们捕食水中的鱼类，但更喜欢攻击在湖边饮水的动物，如野兔、鹿、羚羊等；上下颌骨十分粗壮，可以死死咬住猎物，并将其拖入水中，即使是强壮的狮、虎也难以挣脱。在求偶季节，犽马会使用位于下颌的声囊鸣叫，声音洪亮高亢，就像有人在大声呼喊一样；位于胸口的另一个喉囊通常不用作鸣叫，而是用于储藏食物或空气。

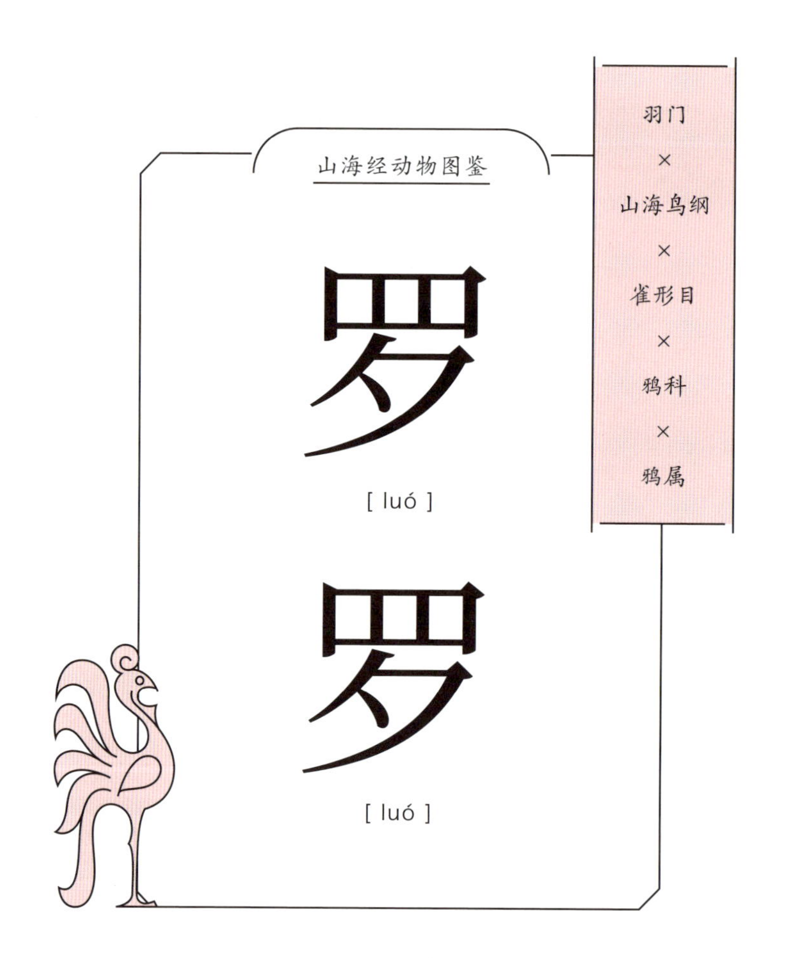

又西三百五十里，曰莱山，漆木多檀、楮，其鸟多罗罗，是食人。

——《山海经·西山经》

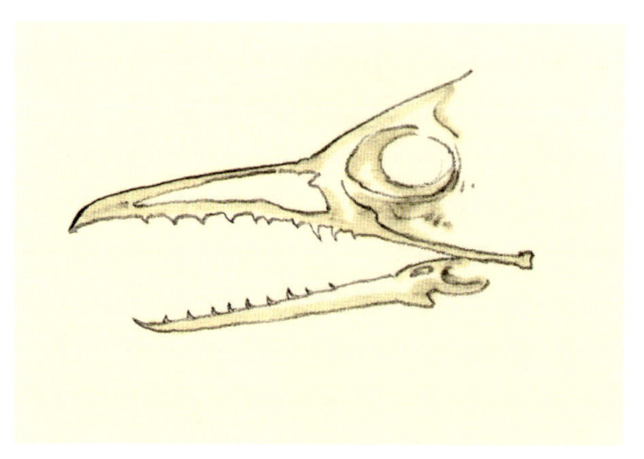

丨 罗罗喙部骨骼细节图

丨 形态特征

罗罗的外表类似喜鹊，但羽毛颜色略浅。除了头部为黑色外，胸腹部为白色，背部、双翅及尾羽是浅灰色的，在背光处偶尔会出现一些金属光泽。

罗罗体型小，身体圆胖，一对鲜红的眼睛精准地搜寻着猎物目标。它们视力绝佳，作息无规律，无论白天夜晚都可以活动。

这种鸟类看似小巧，但却是凶恶的捕食者。不同于秃鹫等食腐鸟类，它们只吃新鲜的肉食，并且会主动攻击野兽和人，任何经过莱山的动物都会成为它们的目标。

丨 栖息环境

《山海经·西山经》所载第二山系的最后一座山峰，名为莱山。山上檀、楮树木苍翠茂密，在高大的乔木顶端，树杈上布满密密麻麻的鸟巢。这些窝巢外部呈球形，堆叠着枯枝败叶，由细泥和杂草填补缝隙，巢内则铺着草叶、苔藓等。这些就是罗罗鸟的窝巢。

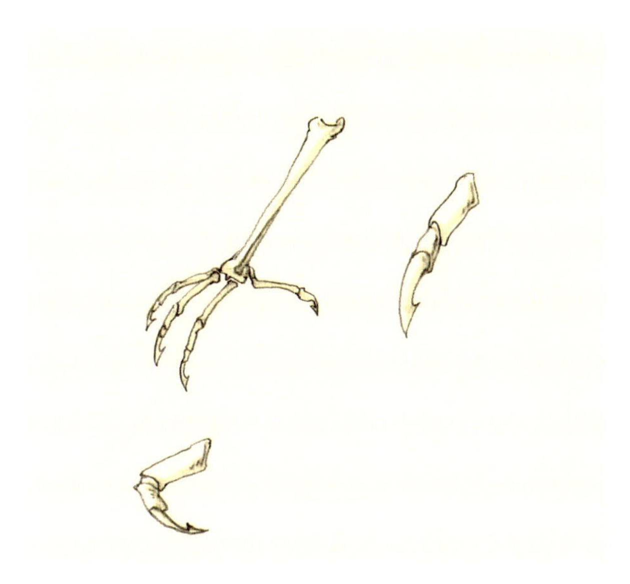

| 罗罗足趾倒钩细节图

| 生活习性

罗罗的爪子非常锋利，趾尖呈鱼钩状，一旦它们扑到猎物的身上，尖爪会立刻扎进猎物的皮肤，趾尖的倒钩能帮助它们撕裂猎物的伤口，加快流血速度，增强杀伤力。

为弥补与猎物体型差距的劣势，罗罗一直采取群体行动。在其群体中，没有等级差异，没有首领，也没有家庭单位，只有共同的目标引导着它们合作捕食。它们能够忍耐干旱和寒冷，不爱迁徙，每年初春开始衔枝营巢。

又西北四百二十里，曰钟山。其子曰鼓，其状人面而龙身，是与钦䲹杀葆江于昆仑之阳，帝乃戮之钟山之东曰䍃崖。钦䲹化为大鹗，其状如雕而黑文白首，赤喙而虎爪，其音如晨鹄，见则有大兵。

——《山海经·西山经》

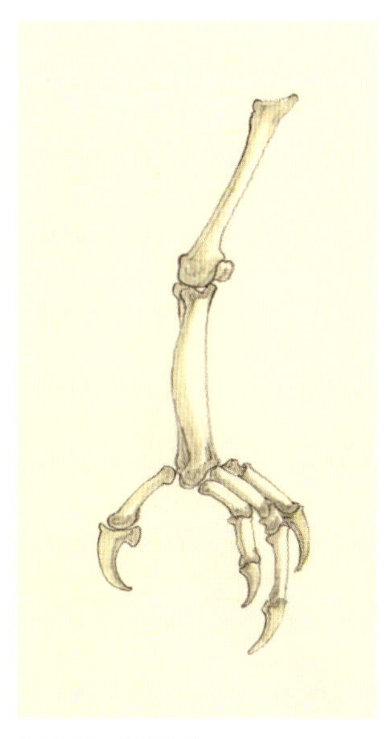

| 大鹗足爪骨骼图

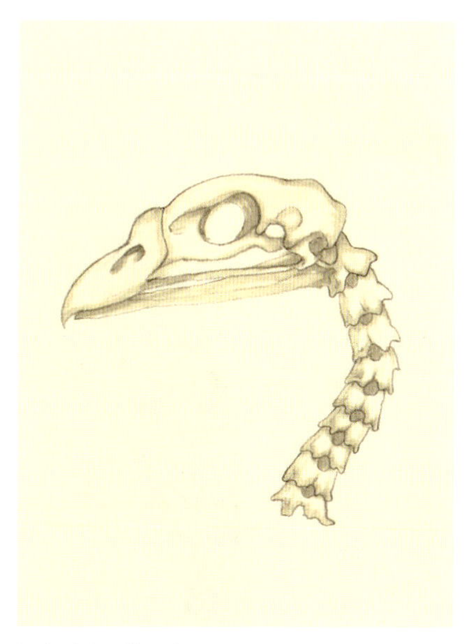

| 大鹗头颈骨骼图

| 栖息环境

大鹗生活的钟山是昆仑山系的第五座山，也是一座神山。钟山东面有一座峚山，山间源源不断地流出玉膏，形成一条浩浩汤汤的河流，孕育了无数五色玉石。这里是黄帝采集祭祀用玉的地方。从峚山至钟山，其间四百六十里均是湖泽，湖中有许多暗礁和小岛，上面长着奇花异草，栖息着形状怪异的鸟兽，水底潜伏着凶猛的蛇和鱼，以捕捉过往的飞鸟为食。

| 大鹗翅膀内侧的火焰纹理

| 形态特征

大鹗的头颈修长，类似天鹅；骨节多，能够灵活转动；额部有红色肉瘤凸起，向下与嘴基相连；喙像鹰，尖端有倒钩；颈部以下的肢体类似鱼鹰，但体型比鱼鹰更大，也更为强健；两翅和尾羽叠着层层褐羽，光泽油亮，展翅时两翼狭长，飞羽根根分明。

| 生活习性

大鹗的食量非常大，飞禽走兽、游鱼盘蛇都是猎物目标。它的飞行能力极强，速度极快，但无法脱离昆仑山的范围，只能往峚山与钟山之间的大泽去寻觅食物。它的捕食方式很简单——从空中俯冲，用利爪抓住猎物的头部或背部，小型动物可能直接被抓穿内脏，体型较大的动物也能被它轻易拎起，带到高空后摔向地面。

山海经动物图鉴

鵕鸟

[jùn] [niǎo]

羽门 × 神禽纲 × 灵化目 × 地皇科 × 鵕属

又西北四百二十里，曰钟山。鼓亦化为鵕鸟，其状如鸱，赤足而直喙，黄文而白首，其音如鹄，见则其邑大旱。

——《山海经·西山经》

| 鵕鸟停留过的草地

| 形态特征

鵕鸟是地皇烛阴之子鼓化成的神鸟。它的耳羽呈簇状，在头顶竖起，如同立着一对尖耳；面部的羽毛排列成面盘，与猫头鹰非常相似。从头骨的结构来看，鵕鸟的眼睛不在同一平面，也不能大幅度转动头颅。喙相比猫头鹰较长，且无明显的弯曲。

它的爪子小巧，但非常锋利，包裹着一层硬角质，可抵御其他动物的利齿毒牙，还能刨挖砂石和岩洞，拖出躲藏的猎物。

| 栖息环境

钟山北坡常年覆盖着积雪，山南有绿地，但植被相对脆弱，干旱季节还常常发生山火。鵕鸟往往待在钟山北面的雪地，寻找天然的岩洞作为巢穴，夜间觅食则飞往山南和崟山大泽，黎明之前返回。只要是鵕鸟停栖过的地方，都会留下旱神的痕迹——枝头的树叶干枯收卷，草地焦枯变黄。

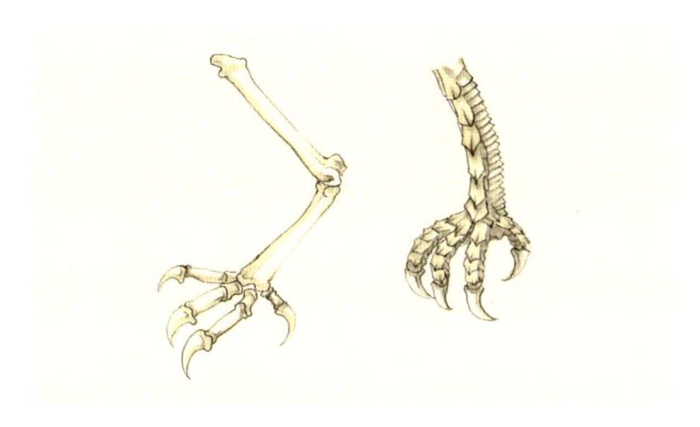

| 鵸鸟足骨（左）与鳞状角质层（右）细节图

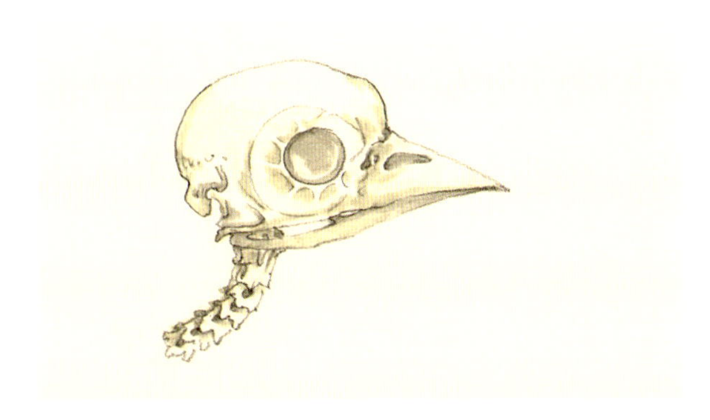

| 鵸鸟头颈骨骼图

| 生活习性

鵸鸟与大鹗一样没有同类，也不会衰老，不过，它们的习性截然不同：前者是夜行动物，后者是日间猛禽。

鵸鸟的身长不过两尺，两翅柔软，飞行时悄然无声；攻击力强，会潜行接近猎物。但因身形太小，它倾向于捕捉鼠类、鱼类，有时也吃小鸟和昆虫，食量不大，喜欢一次吞下整只猎物慢慢消化。

一般情况下，鵸鸟不鸣叫，偶尔也会在深夜传出滚珠落地般的叫声，仿佛它正在与山神交流。

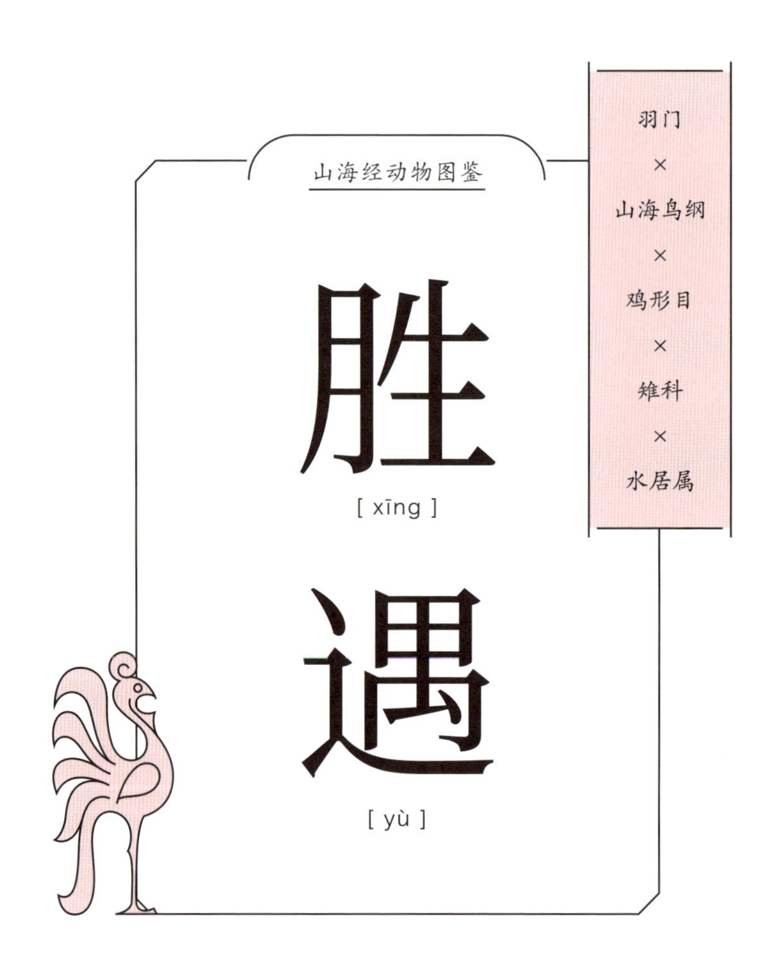

又西三百五十里，曰玉山，是西王母所居也……有鸟焉，其状如翟而赤，名曰胜遇，是食鱼，其音如录，见则其国大水。

——《山海经·西山经》

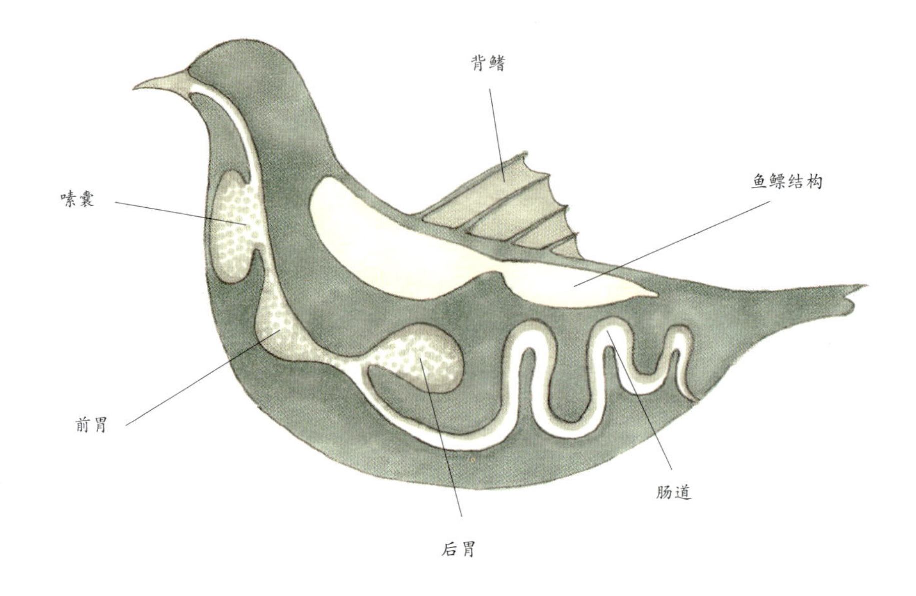

| 胜遇的脏器结构示意图

| 形态特征

胜遇的外表非常美丽，毛色鲜艳，从头顶经背脊至尾部，有黑色、蓝色、绿色、蓝紫色、黄色、紫色等多种色彩交接；喙下方与整个腹部、翅膀都是火红色。两翅严重退化，隐没在身体两侧。趾爪之间有薄薄的蹼相连；背部、尾部、两腿肘部各有一片竖鳍，这些鳍的结构特殊，由增生的骨刺撑开，依靠肌肉控制，可以展开和收紧，就好像船帆一样。

鳔的位置靠近背部竖鳍，可以储蓄空气，让它们在水下行动较长的时间，但它们不能像鱼一样呼吸，必须浮到水面换气。当它们潜入水下的时候，两脚收起紧贴在腹部，头向前伸，背部绷成流线型，鳍张开或转动，把水流当成推动帆船的风，可以达到极快的潜游速度。

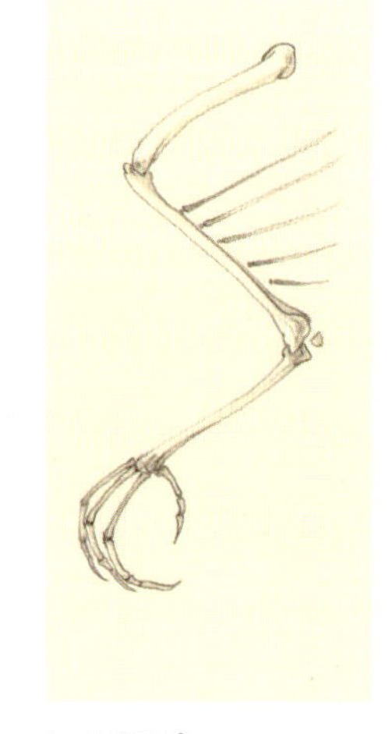

| 胜遇腿骨

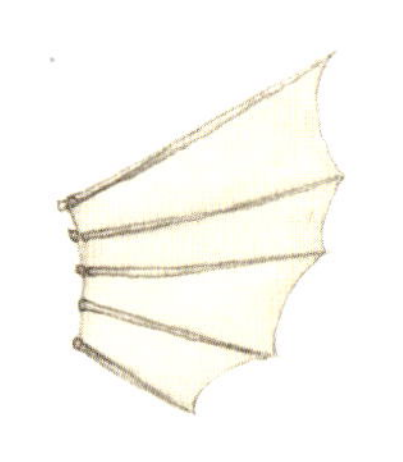

| 胜遇的游泳姿态呈流线型

| 胜遇鳍的展开（上）与收拢（下）形态

| 栖息环境

胜遇的生活区域分为浅水区与深水区两部分。深水区是觅食区域，位于玉山山腰和山脚下的深潭，其中的游鱼丰富多样；浅水区是休憩的地方，因为胜遇没有鳃，必须在水面以上呼吸，尤其是夜晚休息的地方必须离水面足够近，多在湖岸的浅滩附近。不过，它们有时也会选择湖中半被水淹没的小洲。小洲四面是水，比起野兽能够靠近的岸边来说更为安全。

| 生活习性

每年的三四月份，胜遇开始求偶。雌性与雄性在外形上并无太大分别，但在求偶期间，只有雄性会发出鹿鸣一般的叫声，以此来展示魅力，吸引雌性的注意。但雌性不会以鸣叫回应。

胜遇不筑巢，因此会把卵产在河滩上或岸边的芦苇丛中；它们也不孵蛋，而是轮流守在附近，直到幼鸟自然孵化。在这期间，雌鸟和雄鸟交替捕食。它们有两个胃，还有一个嗉囊，可以将捕到的小鱼储存在嗉囊里，带给另一方或幼鸟。幼鸟孵化后，由双亲轮流哺育，并传授它们生存技能。

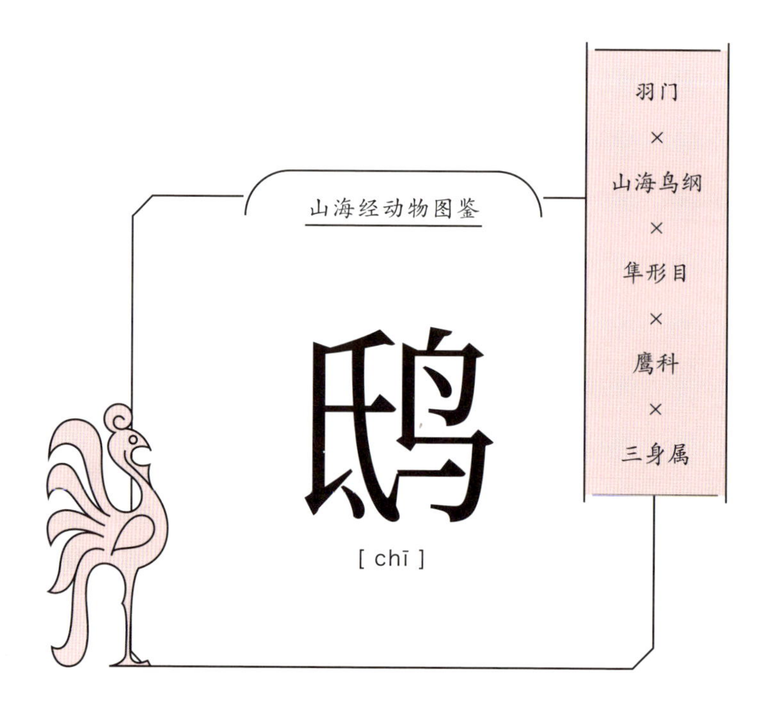

又西二百二十里，曰三危之山，三青鸟居之。是山也，广员百里……有鸟焉，一首而三身，其状如䴅，其名曰鸱。

——《山海经 · 西山经》

鸱骨骼图

连接三个躯干的骨板

形态特征

鸱是体型很大的猛禽，有三个躯体，身高与成年人类接近，生着两对翅膀和三对足。从主躯干颈椎下方的胸骨位置展开一块骨板，延伸出左右两列椎骨，构成另外两个躯干。两个副躯干各有一个翅膀和一对足，但这些都是副肢，只起辅助作用，鸱平时依靠中央主躯的双足站立，飞行时也依靠主躯翅膀发力，副翼仅展开保持平衡。

它们身体上的羽毛皆为白色，翅膀羽毛呈灰黑色，头顶有两个并列的灰色羽冠，喙部短弯，尖端带有倒钩。小腿和趾爪裸露，覆盖着鳞片状的角质层；指甲长而尖锐，抓力强大，能够轻易地捏碎猎物的头盖骨。

| 鸱飞行状态示意图

| 栖息环境

三危之山的山顶有个巨大无比的鸟巢，用玉石和水晶搭建而成，里面居住着三只青鸟，专门为玉山上的西王母取食送馔，夜晚回到三危山休憩。山脚是三苗族人的农田和村寨，他们经过几百年的休养生息，已经初具规模。

鸱栖息在海拔较高的树林内，位置在三青鸟与三苗族的中间，与三青鸟互不相扰，但二者都将人类作为猎食目标。

| 生活习性

鸱在高树上建巢，以树枝和藤蔓建造出巨大的球形鸟巢，内里铺着兽皮和羽毛。它们遵循一夫一妻制，一对鸱会占领方圆五十里的森林，不允许其他同类涉足。鸱的猎物包括山间的猿猴、松鼠、大蟒和其他鸟类，还有山下的人类。

它们隔3~5年才繁殖一次，一次产卵三枚，由雌鸱的三个身子分别孵化，孵化期在30~35天。幼鸟出世之后，父母会喂养身体强壮的孩子，刻意忽略孱弱的个体。幼鸟需要6个月的时间才能变得羽翼丰满，之后，雌鸱开始教幼鸟飞行。

西水行百里，至于翼望之山，无草木，多金玉……有鸟焉，其状如乌，三首六尾而善笑，名曰鵸鵌，服之使人不厌，又可以御凶。

——《山海经·西山经》

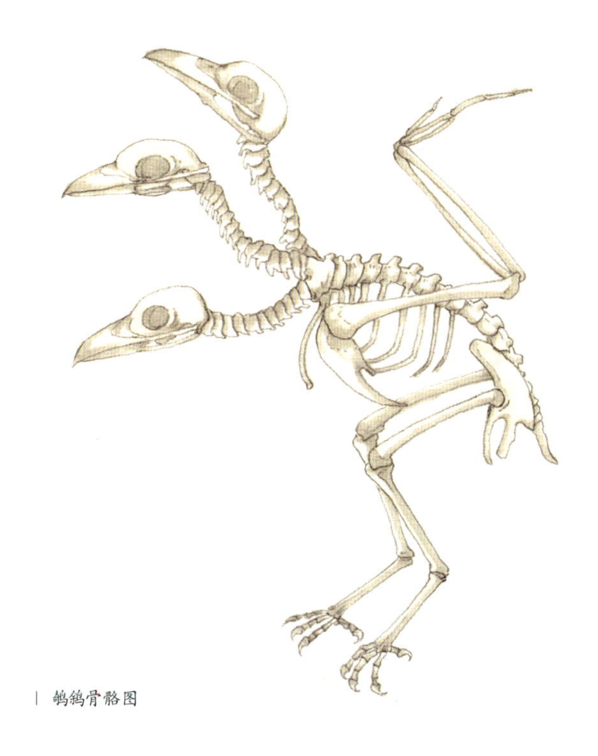

| 鹌鸰骨骼图

| 形态特征

鹌鸰酷似发生了变异的乌鸦。它们有三条颈椎，各连接一个头颅；浑身漆黑，只有尾内侧短羽是灰白色，喙部荧蓝，眼睛鲜红；尾羽分成六个翎区，停栖在树枝上时，尾羽展开成扇形，飞行的时候则会收拢在一起。三个头的重量改变了它们身体的重心位置，导致鹌鸰在飞行时经常失控，更难平稳降落。

每个头的活动范围比较固定，不会产生颈部纠缠或头部相撞的情况，且可以同时看向不同的方向，处理来自不同视域的信息。鹌鸰的足部过于纤细，与身躯不成比例，无法支撑身体在地面上跳跃，只能停留在树枝或能抓握的物体上。

| 栖息环境

鹌鸰的飞行能力不强，较难进行长距离迁徙，所以一直都待在出生地——翼望之山。

| 鹌鸰尾羽展开（左）与合拢（右）对比图

| 生活习性

和大多数鸦科禽类一样，鹌鸰的集群性比较强，整个翼望山上的鹌鸰都属于同一族群。它们与莱山上的罗罗鸟、带山上的鹌鸰（同名不同属）有血缘关系，虽然外形上差异很大，但习性有相同之处。

鹌鸰食腐，不会主动捕猎。在翼望山上生活的讙也是食肉动物，以捕鱼为生，会捕捉鹌鸰。讙死去之后，鹌鸰会大批聚集，啄食讙的尸体。

它们不会筑巢，求偶的时候，不论雌雄都会把尾羽翘起，合拢又展开，就像开屏一样，不断重复，直到选定伴侣。它们在光照充足的岩石上产卵，但常常受到讙的袭扰，每年出生的幼鸟数量仅占产卵数量的1/10。

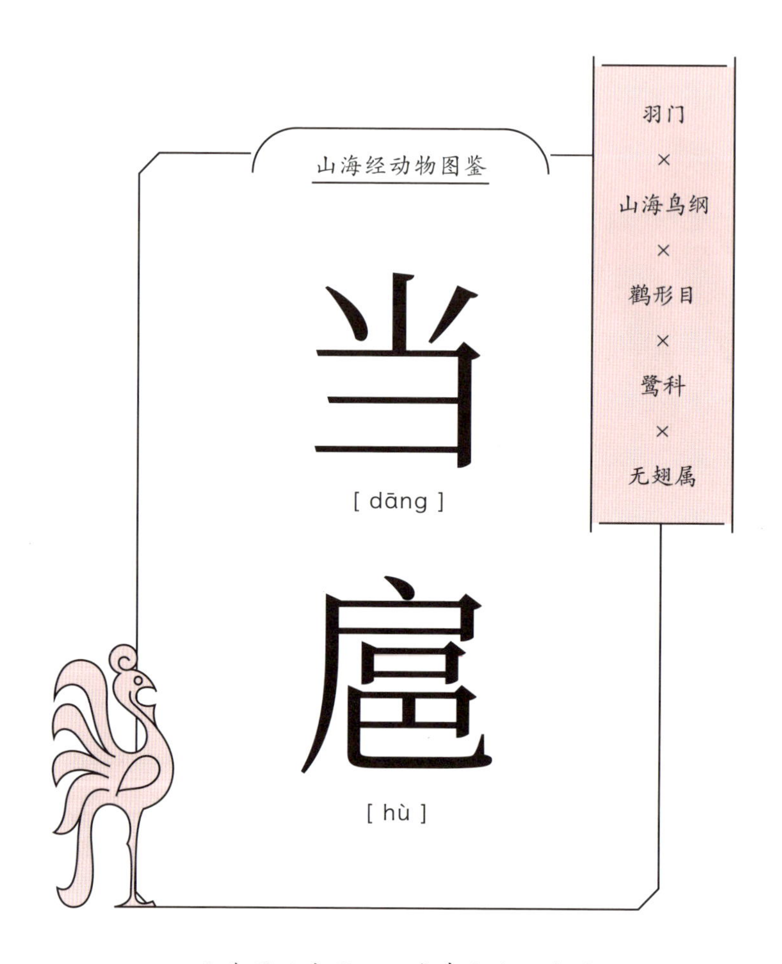

又北百二十里，曰上申之山，上无草木，而多硌石，下多榛楛，兽多白鹿。其鸟多当扈，其状如雉，以其髯飞，食之不眴目。

——《山海经·西山经》

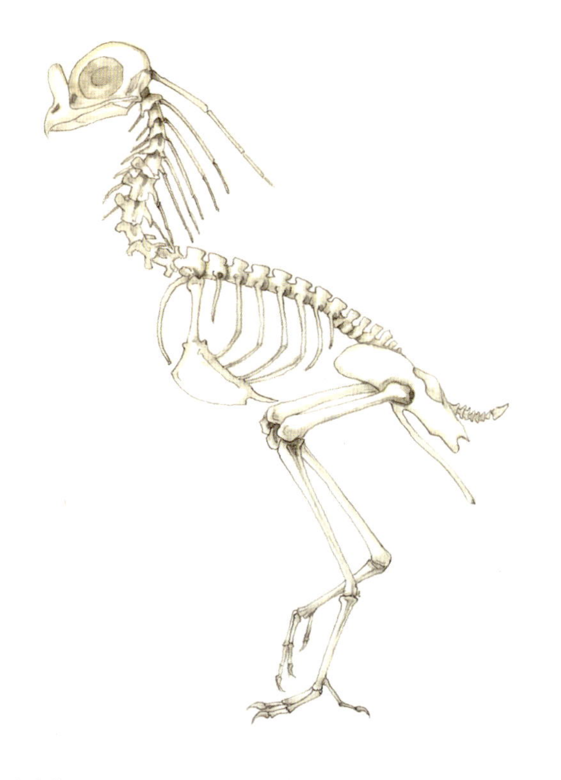

| 当扈骨骼图

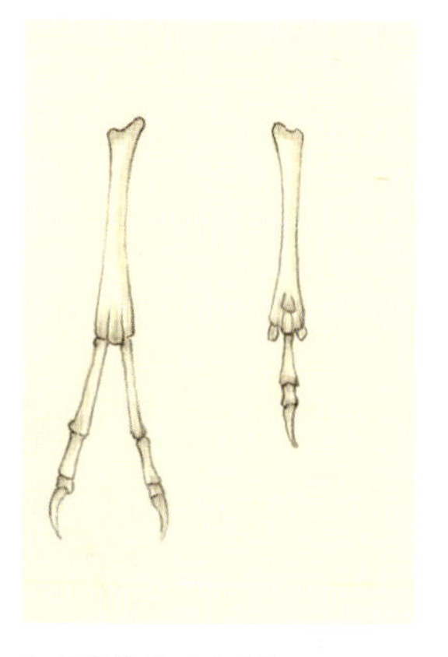

| 当扈前两趾（左）与后趾（右）细节图

形态特征

当扈是栖息在河流附近的水禽，长着修长的脖颈和双腿。外形像大白鹭，但身体上的羽毛是纯黑的，尾巴由簇状棕色长羽组成。头小，眼眶大，喙短而弯曲，尖端有细小的倒钩，气孔上方凸出一块外翻的骨质结构，能在空中和水下有效地保护眼睛。

双翅完全退化，骨骼结构中已经找不到翅膀的痕迹，这是因为飞翔的工作已经由另一种结构所承接——当扈的颈骨上有许多纤长的骨刺伸出，并由细密的肌肉包覆，可以灵活地张开合拢；其外部生长着又宽又长的飞羽，能够利用上升气流，带动当扈飞到空中。

栖息环境

上申之山是当扈的栖息地，附近树林茂盛，水源丰富，有汤水、辱水、区水、洱水、弱水、阴水六大水系在此交汇，灌溉着山地上的树木和花草，除了穀、柞、杻、橿、漆、棕等高大乔木，还有蘼、芎、蒡等珍贵草药生长。

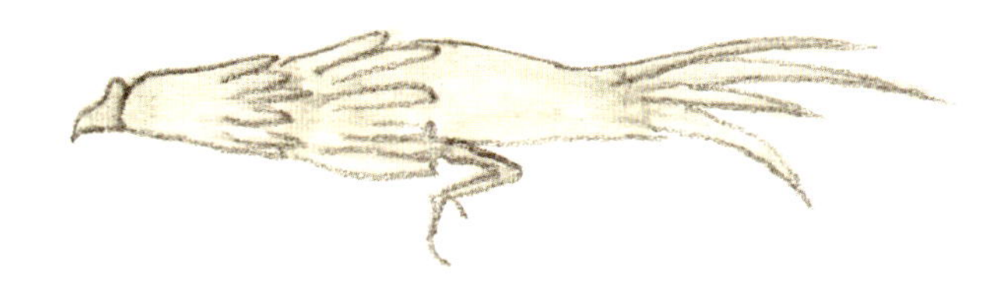

| 当扈飞行姿势示意图

| 生活习性

当扈没有眼皮，不会眨眼。从眼睛的构造上看，当扈的晶状体呈球状，单眼能在水平面上看到160°的范围，在垂直面上能看到150°的范围，视野范围非常大，即使不回头也能看见身旁、头顶或身下的景物。

当它们把头伸进水里寻找食物的时候，视野和鱼类几乎一致。它们的眼睛对光线非常敏感，通过光线的折射，可以看清远处岸上的物体，这不仅能够帮助它们捕食，还能有效地防止天敌趁其捕食时靠近自己。除了鱼类，当扈也会捕食昆虫、蛙、蜥蜴、贝类和软体动物等。

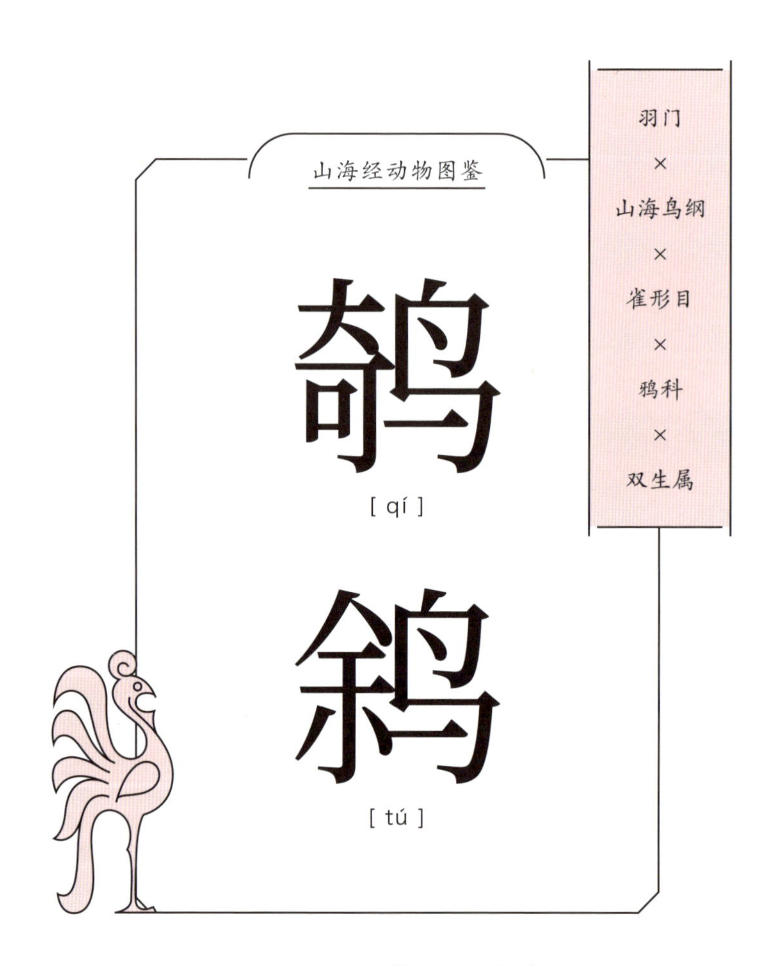

又北三百里，曰带山，其上多玉，其下多青碧……有鸟焉，其状如乌，五采而赤文，名曰鵸鵌，是自为牝牡，食之不疽。

——《山海经·北山经》

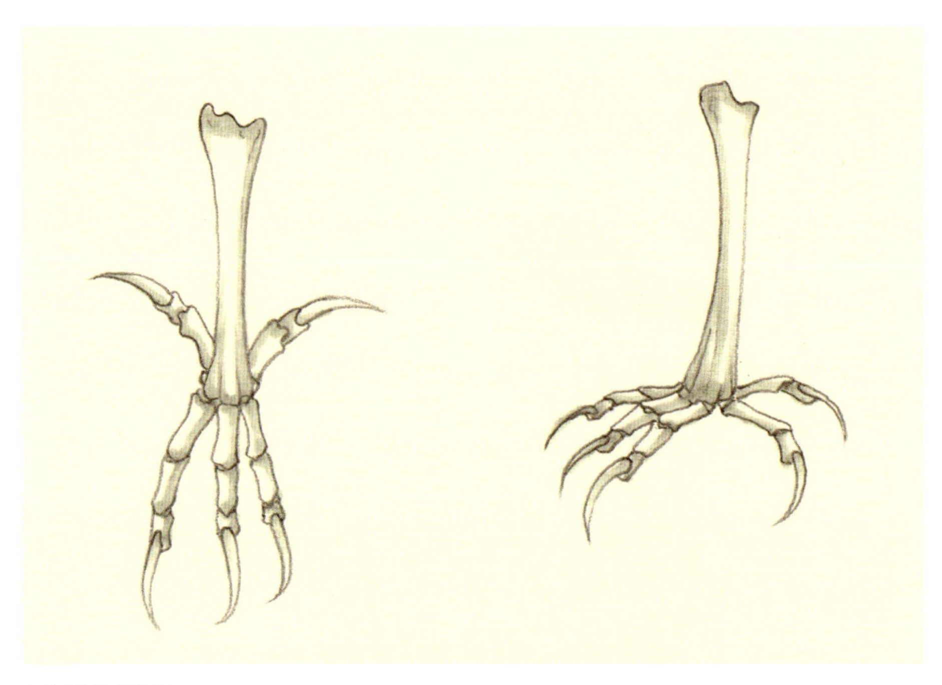

鹔鹴足爪骨骼图

形态特征

带山上生活的鹔鹴鸟与翼望之山上的三头鸟同名，二者之间也确有血缘关系，是同属一科的鸟类，虽因生活在不同环境，经历了漫长的时间后，两者在外形上产生了巨大的差异，但仔细比较就能发现，它们的头、喙、翅、尾羽的形状仍旧非常相似。

带山鹔鹴的羽毛色彩艳丽，头顶翠绿，面部为黄色，背部和翅膀是鲜艳的蓝色，飞羽长，末端带有红色的花纹；尾羽分成8片，停栖时收拢，飞行时展开；脚爪分为五趾，三趾在前，两趾在后，向后的两趾皆有两节趾骨，尖爪弯曲，左右对称。

栖息环境

鹔鹴生活在带山上的灌木林中。山上有许多玉石散落，都是青翠的碧玉，整座山就像一条缀满宝石的玉带，带山由此得名。

| 鹌鸰雏鸟

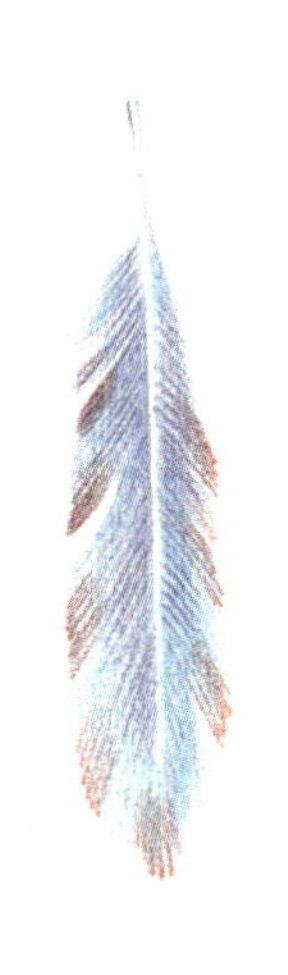

| 成年后的羽毛色彩

| 生活习性

这类鹌鸰是雌雄同体的生物，不需要集群，也不会进行交配，自己就可以产卵。每年夏末，它们开始自行营巢，产卵后需孵化15~20天，一窝有3~5只雏鸟出生，由成鸟哺育1~2个月后独立生活。

雏鸟刚出生时全身布满灰色绒毛，腹部为白色，一个月后开始换毛，从翼端开始逐渐长出蓝色的羽毛，等雏鸟整体变为蓝色之后，才开始出现红色的斑纹、黄色的面部等等。

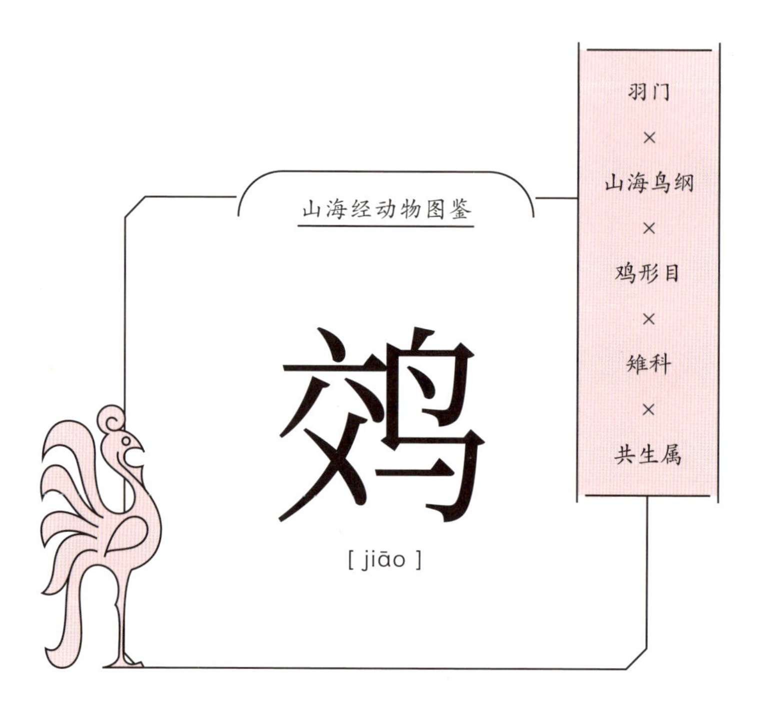

又北二百里，曰蔓联之山，其上无草木……有鸟焉，群居而朋飞，其毛如雌雉，名曰䴔，其名自呼，食之已风。

——《山海经·北山经》

| 鸩两两合作飞行

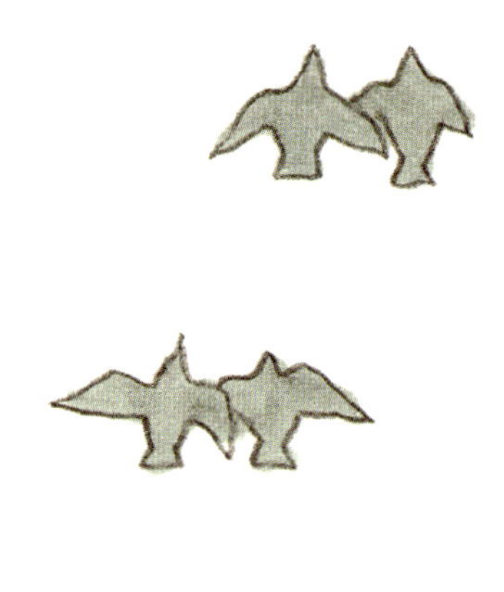

| 鸩的飞行队形

形态特征

鸩的形态近似鹌鹑，但体型稍大，小头短颈，长喙有倒钩；背部拱起，前胸凸出，翅膀形状较圆，收翅时飞羽同尾羽合在一处，尾羽并不长，但由于身体较大而腿短，可以拖到地面。

它们的体色呈灰褐色，可以完美地隐藏在高山的裸岩地带。腹部羽毛为白色，厚实保暖的绒毛一直覆盖到脚背，足分四趾，为橙红色的角质层；喙和眼周的色彩相对艳丽，眼角后侧有一块鲜明的白斑。

栖息环境

鸩是一种适应高山环境的鸟类，可以在雪线附近生存，甚至在常年积雪的山顶也能留居很长时间。它们只在蔓联之山的高海拔区域内生活，夏季在山顶活动，冬季则到雪线以下的苔原地带觅食。

| 两两相连的鸟巢

| 生活习性

鸡是群居鸟类，在聚成大群的前提下，又成双成对地组成小家庭。它们飞行的方式十分奇特，需要两两相连，合为一体配合飞行。群体迁徙时，排列成人字形或一字型，就像迁徙的大雁一样。它们的飞行搭档并不一定是夫妻，也可能是同性伙伴或者已经成年的子女。

它们虽然生活在蔓联之山上，但并不在山上筑巢；在山地时穴居，在岩洞内铺上柔软的羽毛和苔藓，一个洞穴内有两只鸡一起生活。雄性的叫声高昂尖锐，雌性的则低沉缓和，觅食的时候分散行动，靠叫声相互联系。

到了繁殖季节，它们会成群结队飞去远方树木茂盛的地方筑巢。鸟巢也是两两相连，两对鸡的雌性会同时产卵并抱窝孵化，而出生的雏鸟会在邻窝选择一个伙伴，一同成长。雏鸟学会飞行后，会集体飞回蔓联之山，继续高山雪地的生活。

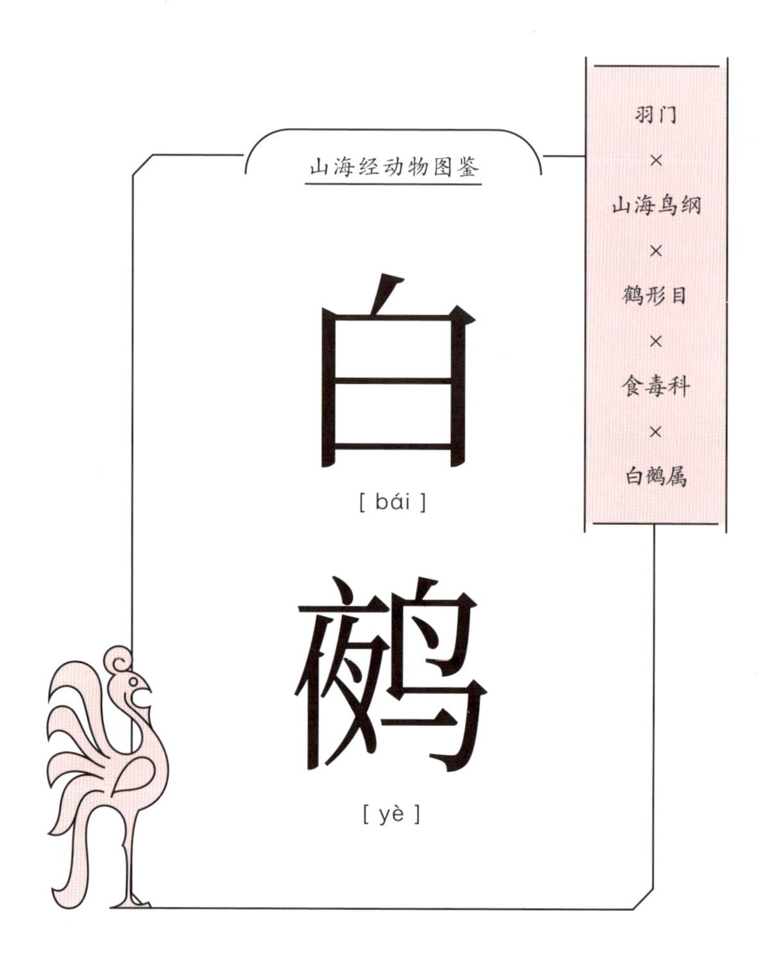

又北百八十里，曰单张之山，其上无草木……有鸟焉，其状如雉，而文首、白翼、黄足，名曰白鹈，食之已嗌痛，可以已痸。

——《山海经·北山经》

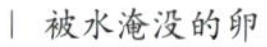

被水淹没的卵

白鵺头颈骨骼图

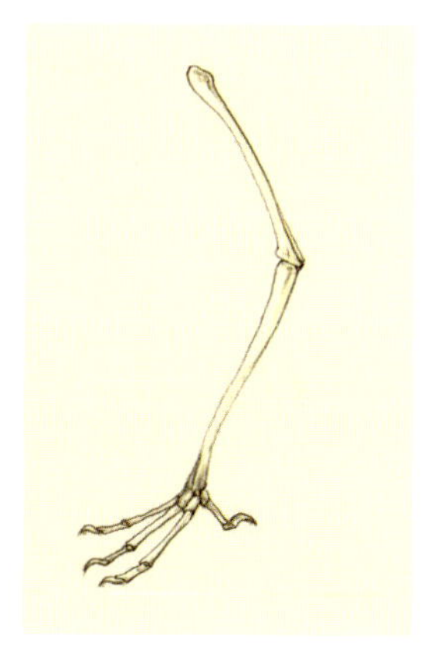

白鵺足骨图

形态特征

白鵺的体形略似山鸡，但喙长而尖利，鼻孔靠后，呈细缝状；双腿细长，足趾纤长伸开，趾爪锐利弯曲。它们的头骨较小，眼眶大而圆，位于头骨较前的位置；颈部灵活，觅食时可以伸长1~2厘米；喙与足爪呈绿色，是长期接触毒物的结果；眼睛赤红，有一层透明的眼睑包覆，可以在水下获得良好的视野；眼眶上方至后脑有一簇簇翘起的羽冠，但羽毛比较杂乱；全身羽毛分为灰白两色，只有尾部下方杂生着一片红绿相间的羽毛。

栖息环境

白鵺生活在单张之山山脚的河流附近。栎水从上游的山顶湖泊流出，水质清凉透彻，含有许多矿物质，在山脚形成一片沼泽湿地。虽然位于寒冷的北方，但与常年积雪的山顶相比，山脚的气候相对温暖湿润。白鵺就栖息在沼泽地的水草丛中，偶尔也会进入河流的浅水区域。

| 白鹇的食物

| 生活习性

白鹇适应湿地的环境，长长的足肢和足趾能让它们在淤泥和水草之间快速奔走；趾尖有形变的能力，踩在形状不规则的砂石上也可以站稳。它们的翅膀较短，飞羽分布成圆弧状，可以进行短距离飞行，但无法飞到高处或远处。

白鹇以水生动物为食，如小型鱼类、鳝类、贝壳和螃蟹。其中虽不乏一些具有毒性的生物，但白鹇完全不受毒物影响。它们的胃部有粗糙的内壁，可以研磨硬质甲壳，消化完内部的肉之后，再把磨碎的甲壳吐出来。

白鹇会把卵产在河岸的浅滩上，让水漫过，依靠阳光孵化。

又北三百二十里，曰灌题之山，其上多樗柘，其下多流沙，多砥……有鸟焉，其状如雌雉而人面，见人则跃，名曰竦斯，其名自呼也。

——《山海经·北山经》

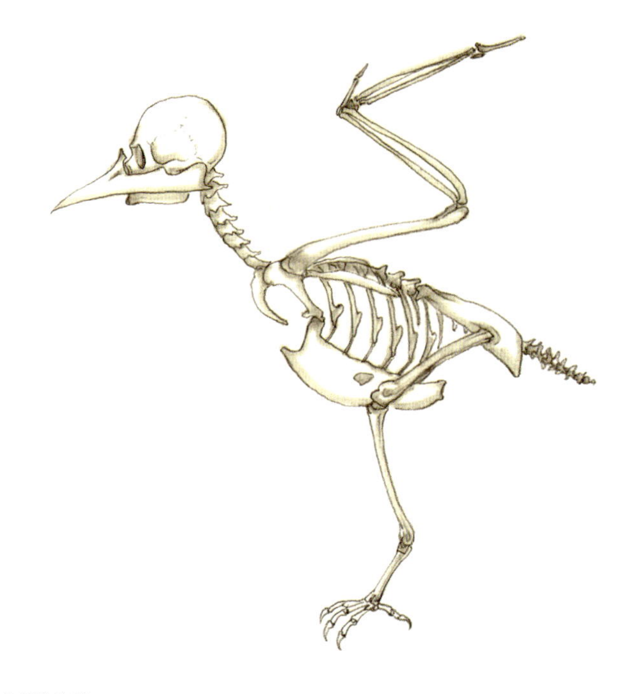

| 竦斯骨骼图

| 形态特征

竦斯的身体较小，足肢很细，像是灰色的干枯树枝；趾甲是鲜艳的蓝色，弯曲尖锐；外表非常美丽，羽毛颜色鲜艳，由橙、黄、绿、黑等色彩构成；头小颈短，面部构造奇异。相比其他鸟类，竦斯的后脑隆起，显得脑部较圆；眼眶靠前，眼距窄，有睫毛分布；喙如同一块黑色的骨质面具，在眼中间的位置隆起一块类似骨盔的结构；喙下有增生的骨骼，极似人的下巴，但下巴上部的鲜红嘴唇是羽毛的拟态，而非真正的嘴；喙后方有形似长耳的皮肤增生结构，边缘和背侧铺着细羽，如同小型的翅膀；面部除了喙部，其余部位均有羽毛覆盖，排列成人类女性面部的模样；眉骨位置翘起蓝色的簇状羽毛。

| 栖息环境

灌题之山是《山海经·北山经》第一山系的第十三座高峰，山上树林浓密，椿树和桑柘树丛生，是竦斯的家园。高山丛林是它们最理想的生活环境。灌题之山北面的山脚地带分布着一片流沙，其中有许多磨石，经常被竦斯用作打磨喙部和趾爪的工具。

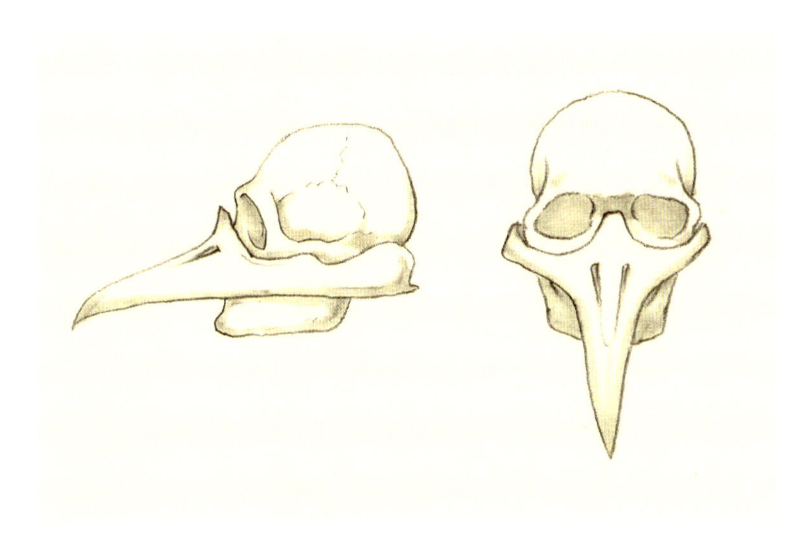

| 竦斯头骨细节图

| 生活习性

| 卵上的花纹

竦斯能利用尖锐的趾甲牢牢抓住树枝，还擅长在树枝之间跳跃。但由于尾羽过于厚重，且它们又十分重视自己繁复的翎毛，如果在枝叶浓密的地方快速穿行，很容易损伤尾羽，所以竦斯很少飞行，且会选择树枝稀疏的地方筑巢。

竦斯每次产卵2~3枚，白玉底色的卵壳上遍布金黄的花纹，非常美丽，但也容易招来树栖动物的觊觎，例如猿猴和树蟒便喜好偷取竦斯的卵食用。所以，竦斯经常在枝头跳跃，发出尖锐的叫声，与天敌对峙；叫声分为两节，第一声调高拉长，第二声嘶哑短促，正如其名。

又西三百五十里，曰西皇之山，其阳多金，其阴多铁，其兽多麋、鹿、牪牛。

——《山海经·西山经》

| 麋鹿雄（左）雌（右）头骨对比图

| 形态特征

麋鹿出现于数百万年前，体型高大，擅长游泳。它们的身躯庞大沉重，四肢相对纤细，但非常有力；蹄子宽大、多肉，能分开两瓣，踩在沼泽地里也不易下陷；还有发达的悬蹄，能在行走时发出响亮的磕碰声；颈部粗壮，覆盖着厚厚的鬃毛，不易被水沾湿，还能有效抵御水行时的寒冷。

雄鹿的头顶生角，角上分叉，倒置时能稳稳立住。雌鹿无角，体型也相对较小。为了适应多水、多植被的生存环境，它们的尾巴长而多毛，利于甩动驱赶蚊虫。

| 栖息环境

三千多年以前，麋鹿的足迹遍布名山大川，尤其集中在温暖湿润的沼泽和林地。《山海经》中对于它的记录随处可见，比如西皇之山。此山与东面的皇人之山、中皇之山连成一线，其间生长着茂盛的乔木林和沁香的蕙草。皇水将三座山环绕串联起来，河谷地带分布着广阔的沼泽和草地，大群麋鹿和牦牛聚集于此。

| 麋角发育过程图

| 生活习性

每年冬末，雄鹿的角会齐根脱落，到次年夏季又慢慢长出。麋鹿是一种非常温顺的动物，适应群体生活。在非繁殖季节，它们的群体通常由单一性别组成。在求偶期间，会出现三种类型的雄鹿：一是鹿王，它会占有一大群雌鹿；二是挑战者，竞争鹿王的地位，或用鹿角相互战斗，吸引雌鹿的注意；最后一种是未成年的雄鹿，不会有发情的反应。

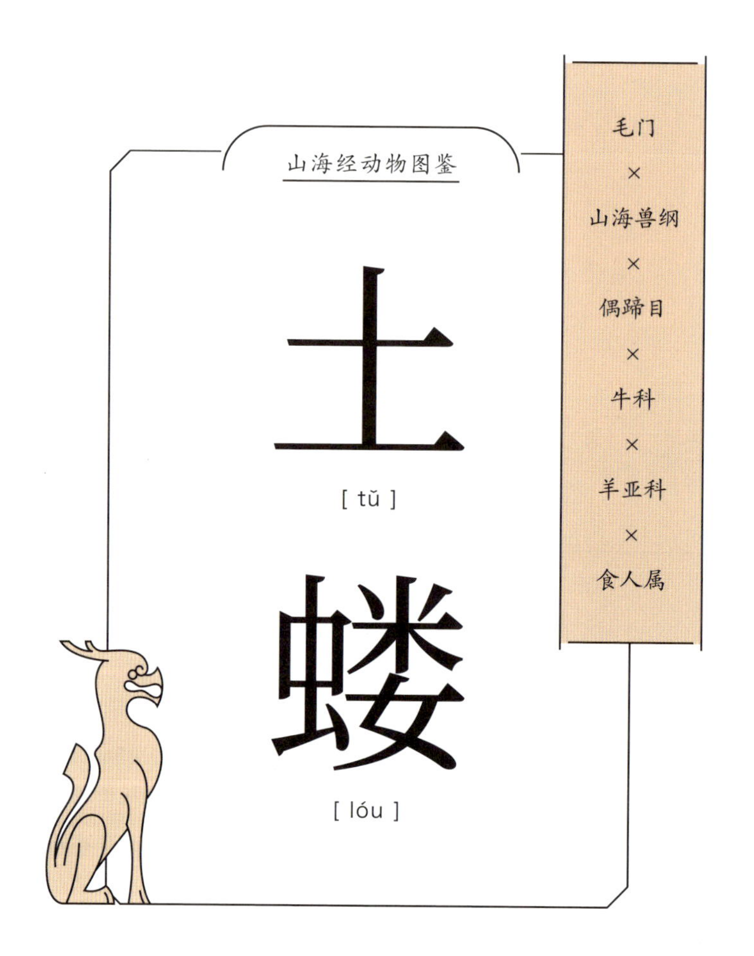

西南四百里，曰昆仑之丘，实惟帝之下都，神陆吾司之……有兽焉，其状如羊而四角，名曰土蝼，是食人。

——《山海经·西山经》

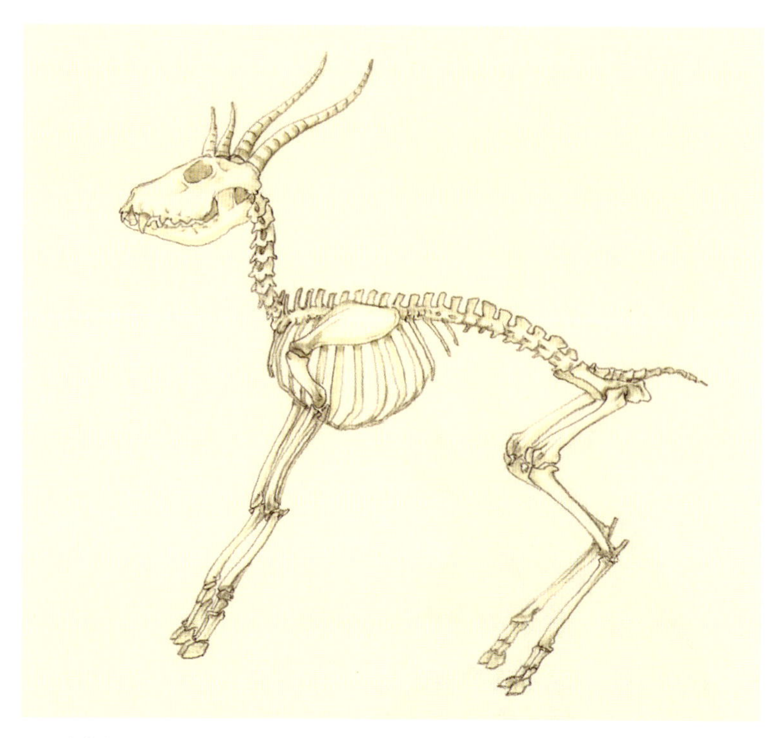

| 土蝼骨骼图

| 栖息环境

昆仑之丘是天帝曾经的都城，位于槐江之山的东北。山高万仞，上面生长着无数奇花异草，也有许多神秘的鸟兽栖息。土蝼就是其中之一。

| 形态特征

这是一种外形像羊的食人兽，头顶长着四只角，分为前后两组，外侧均有明显的环棱；前组细短，微微向前弯曲；后组粗大且长，向后弯曲，尖端向上。

土蝼的骨骼与普通的山羊并无差异，四肢纤细，有蹄，擅长登山，在陡峭的石壁上行走也是如履平地。但它有一副食肉动物的利齿，就面部来说，土蝼更像恶犬，羊的吻部容纳不了那么多尖牙，所以土蝼的嘴比食草动物宽得多，口裂很大，几颗獠牙伸出唇部。由于上下颌骨的连接方式比较特殊，土蝼能把嘴张得极大，下颚强大有力，咬合力胜过凶猛的黑熊。

土蝼头骨细节图

颌骨与牙齿细节图

生活习性

土蝼披着一身棕黄的皮毛，栖息在山顶的岩石地带，体色与裸露的山岩比较接近，过往的猛禽看不到它们。山顶动物稀少，土蝼会去往山腰的林间或山谷的草地捕猎，近似羊的外形能让它们轻易地混进食草动物的群体，接近一个落单或弱小的目标，随后展开攻击，强大的咬合力能一击致命。杀死猎物之后，土蝼会就地享用，它的食量很大，可以一次吃掉一整头牦牛的肉，随后很久都不用再进食。

又西三百五十里，曰玉山，是西王母所居也……有兽焉，其状如犬而豹文，其角如牛，其名曰狡，其音如吠犬，见则其国大穰。

——《山海经·西山经》

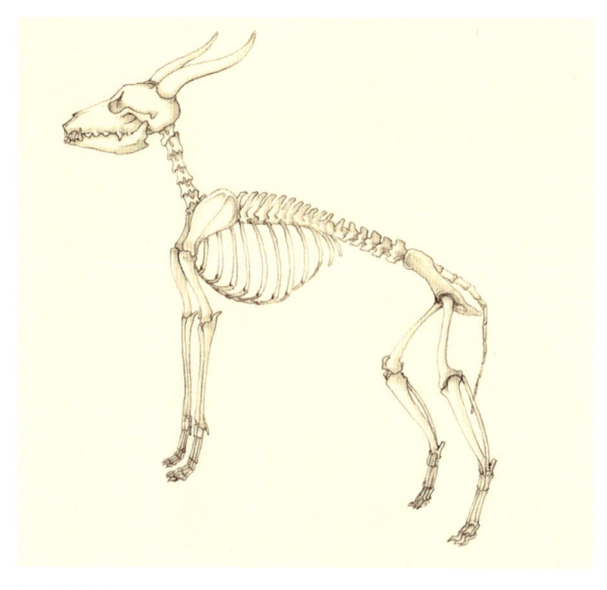

| 狡骨骼图

| 狡足肢肌肉及肉垫分布图

| 栖息环境

昆仑山绵延数千里，最尊贵的当数主峰玉山，因为这里住着一位可以号令群仙的女神——西王母。西王母人身豹尾，是主宰死亡和新生的神明。

玉山上有结出翡翠玉石的琅玕树，垂下饱满颗粒的大禾，形如车马或人物的灵芝，血红色的不老泉水……在人间流传出无数的故事，吸引一代又一代的英雄前往寻找长生不老的神话。

| 狡的食物

| 形态特征

西王母的伴生动物除了众所周知的三青鸟，还有狡和胜遇。其中的狡是一种形似细犬、头戴牛角的奇特生物。它的身躯枯瘦，背部高高隆起，吻部细长，头颅低垂，头顶两侧伸出弯曲的角，但角又大又重，严重影响行动的姿态。它们的眼睛间距比一般犬类宽，分处于不同平面，使得它们能够接受更大范围的视觉信息，但只对快速运动的物体产生反应。

狡的四肢修长，后肢的骨骼非常粗壮，上面附着紧致发达的肌肉，爆发力十足。足掌很小，下方堆积了厚厚的肉垫，能帮助它们在恶劣的地形中奔跑而不受伤。它们的脏器多在躯体前部，受到肋骨的保护，腰腹部突然收紧，形成弯曲，让整个身躯如同拉满的弯弓，令它们如离弦的啸箭一般奔跑。

| 生活习性

作为西王母的伴生动物之一，狡的职责是看管玉山上的奇花异草，以免被山间的虫豸啃食。它们散居在玉山各处，或各自为战，或组成小家庭，不分昼夜地在神树仙草周围徘徊绕行。它们的食物包括食草的昆虫、啃食根茎的啮齿动物、啄食种子和树叶的小型禽鸟等。

又西三百里，曰阴山。浊浴之水出焉，而南流注于蕃泽，其中多文贝。有兽焉，其状如狸而白首，名曰天狗，其音如猫猫，可以御凶。

——《山海经·西山经》

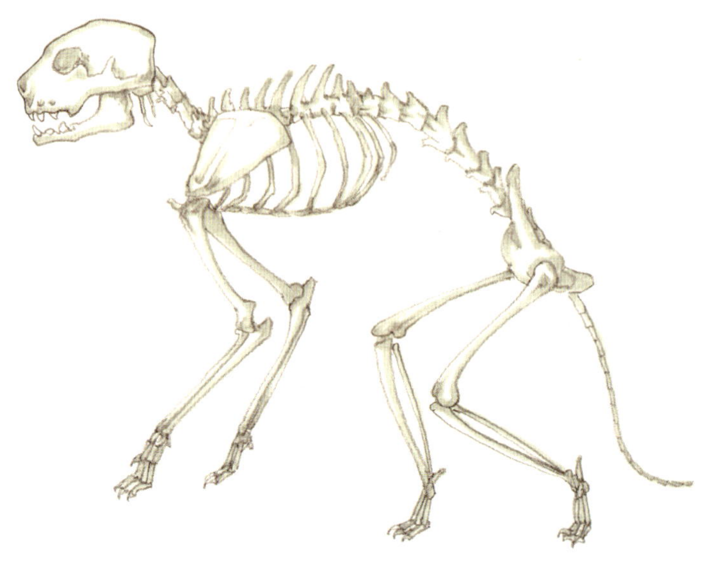

| 天狗骨骼图

| 形态特征

天狗的外形类似狸猫，但体型要大一倍以上，头圆面平，毛色纯白，与身体的毛色有明显的分界线。身躯圆润健硕，毛色棕灰，带有黑色的斑纹。它们的颈部很粗，几乎与肩同宽，胸、腹和臀部均较窄，呈侧扁状。四肢强健，爪极为锋利，可以伸缩，不用的时候，趾骨交叠，收在掌下的肉垫中。

天狗的头身比例比较特殊，头部约为身体的1/3，由于脖颈较短、身躯粗壮，整体看去有些肥胖，但它们的攻击性接近大型猛兽。眼睛赤红，夜视能力极强，在暗处能反射绿色的光。

| 栖息环境

距离玉山一千多里外有座阴山，山势陡峭、巨石林立，山顶的泉水汇聚成河流，名为浊浴之水，顺山势蜿蜒而下，汇入南方的蕃泽。湖泽内有许多带花纹的贝壳，两岸青草茂盛，蔓延到阴山山体上，慢慢向山顶的针叶林过渡。天狗便生活在这里。

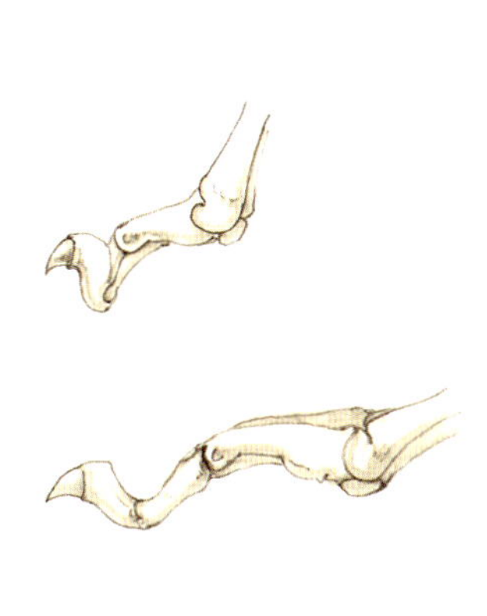

| 可伸缩趾爪示意图

| 天狗（上）与猫（下）体型示意图

| 生活习性

天狗能适应多种地形和气候类型，在整座阴山都有分布。它们可以居住在岩洞中，也能藏身于灌木丛，在温暖的夏夜还会露天睡在草地上。

它们是独行动物，有很强的领地意识，每天都会巡查领地的边界，并用自己的腺体留下气味作为标记。雄性天狗之间经常为了领地发生冲突，由胜者占领地域，因此天狗越强壮，居住地的海拔就越低，离水源也越近。

它们的食物主要包括小型哺乳动物和鸟类，偶尔也吃昆虫，还有蕃泽中盛产的文贝——其犬齿短而硬，能直接咬穿文贝的壳。

又西二百二十里，曰三危之山，三青鸟居之。是山也，广员百里。其上有兽焉，其状如牛，白身四角，其豪如披蓑，其名曰徼秵，是食人。

——《山海经·西山经》

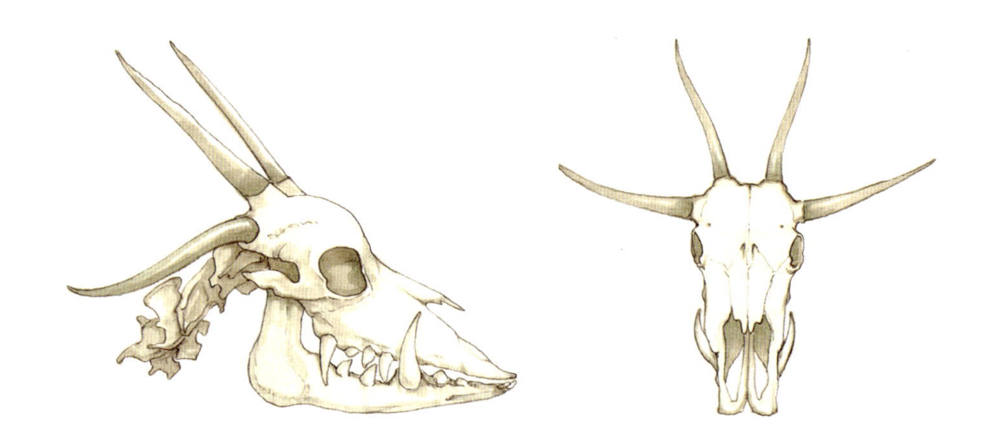

| 徼䝙头骨侧视图（左）与正视图（右）

| 形态特征

徼䝙酷似白色的野牛，身上披着蓑衣一般的长毛，像针叶一样，蓬松且硬度很高，能在树干或石头上留下刮痕。头骨构造特殊，并列分布着两对角，一对指向天空，二者的交角很小；另一对的分布位置几近水平，角身只是略有弯曲。这些角的骨枝紧密地连接头骨，质地致密实心，外部包裹着角质层，漆黑发亮，尖锐锋利，杀伤力非常大。

它口中长着野猪一般的獠牙，一对下牙异常发达，向上弯曲，裸露在口腔以外。下颌骨十分发达，咬合力超过极地的白熊，上下两对尖牙专门撕裂猎物的肌肉，可以造成严重的创伤，令猎物快速失血而亡。

| 栖息环境

傲䍶居住在三危之山的山腰地带，那是一片稀树草原，河流密集，分布着许多小湖泊。海拔更高的地方长有茂盛的树林，往山下望能看见三苗族人的村寨和农田——三苗族是舜帝继位时叛乱的军队，遭俘虏后被流放到这里。

三危山的地势险要，山顶有三青鸟栖息，时常掠过村寨上空，掳走落单的人或动物。傲䍶也会在冬季食物稀少时集体冲击人类聚落，进行猎食。

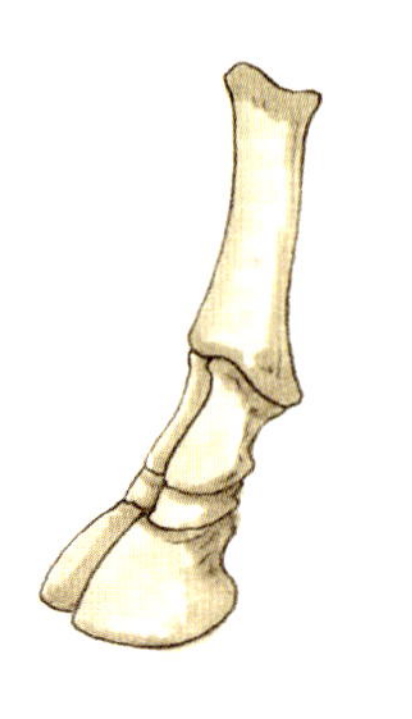

| 一般牛蹄（上）
与傲䍶的蹄（下）对比图

| 生活习性

傲䍶身上的毛又厚又长，因此它们不耐热，在春夏季节经常泡在水里，只有清晨、傍晚或夜间才出来活动。它们四蹄粗壮，足底宽阔，行动稳健，耐力极强，可以长时间、长距离地奔徙。

它们是食肉动物，性情凶猛，结成小群生活，一般10~15头为一群。群内性别比例适当，合作捕猎，由最强壮的雄性担任首领。它们的肩背位置有一个类似驼峰的隆起，用于储备脂肪。在冬季，雌性的背部会变得非常高，这是在为生育后代做准备。

西水行百里，至于翼望之山，无草木，多金玉。有兽焉，其状如狸，一目而三尾，名曰讙，其音如夺百声，是可以御凶，服之已瘅。

——《山海经·西山经》

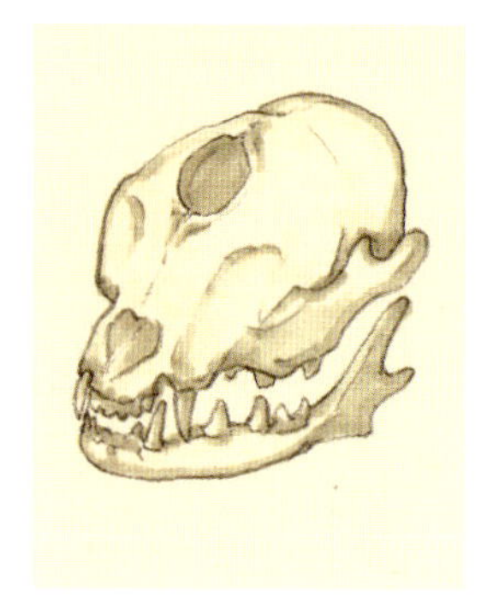

丨 讙头骨细节图

丨 栖息环境

翼望之山是昆仑山脉的最后一座山，四面皆大湖，水中只有孤山一座，山上没有草木，只有黄金和玉石，宝光四射，美如仙境；山上生物稀少，存在部分旱地昆虫、蛇类，还有一种独眼三尾的猫形动物——讙。

丨 形态特征

讙最突出的特点是纵向的独眼位于额头正中，眼睛有两层眼睑，内部的一层透明，多数时间闭合，可以保护眼睛，避免空气和水的刺激。身长约1米，身体轻盈，骨骼纤细，头小身大，毛发蓬松，四肢较短，前后足均为四趾，后肢足跟部位有增生的骨头，形成义趾。讙行走时主要以趾掌触地。它们的趾垫非常鼓胀、厚实，表面光滑，而脚掌和踝部的肉垫基本已退化消失。

它们有三条尾巴，尾椎是一块四通型骨骼，连接着三条尾骨，尾巴等长，一条在上，两条平行在下。它们全身覆盖着厚厚的皮毛，呈暖棕色，耳后有纤长的黑毛，眼睛周围和颈部为白色，尾巴有圈环状的黑色纹路。

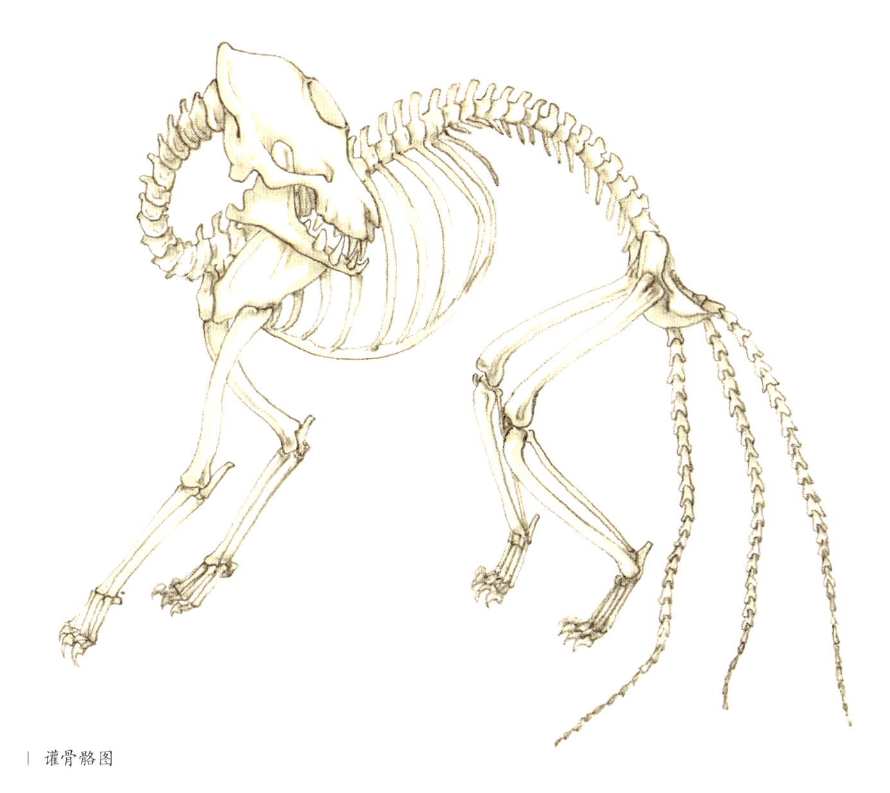

| 讙骨骼图

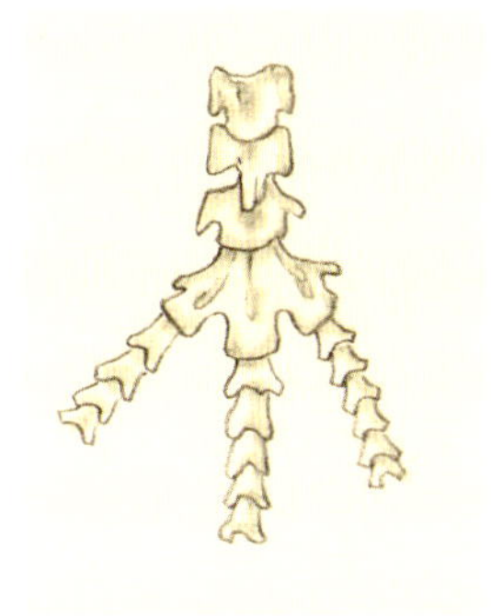

| 尾骨连接示意图

| 生活习性

讙大多独自栖息在岩洞内或坑洼处，到夜晚才出来活动，下水之前，它们会呼朋引伴，聚集成10~15只的小群，制定捕猎的策略。它们的食物主要是翼望山四周湖泽中的鱼虾、贝类和水生昆虫，偶尔也会捞取一些水草和藻类食用。

讙的声带很厚，弹性极强，可以发出多种声音，叫声有两个特点：一是分贝很高，在山上的任何位置都能清楚地听到；二是模仿能力强，比如飞鸟的鸣叫、水流的响动、大风的呼啸等，这能帮助它们引诱鸟类降落，然后趁机捕食。

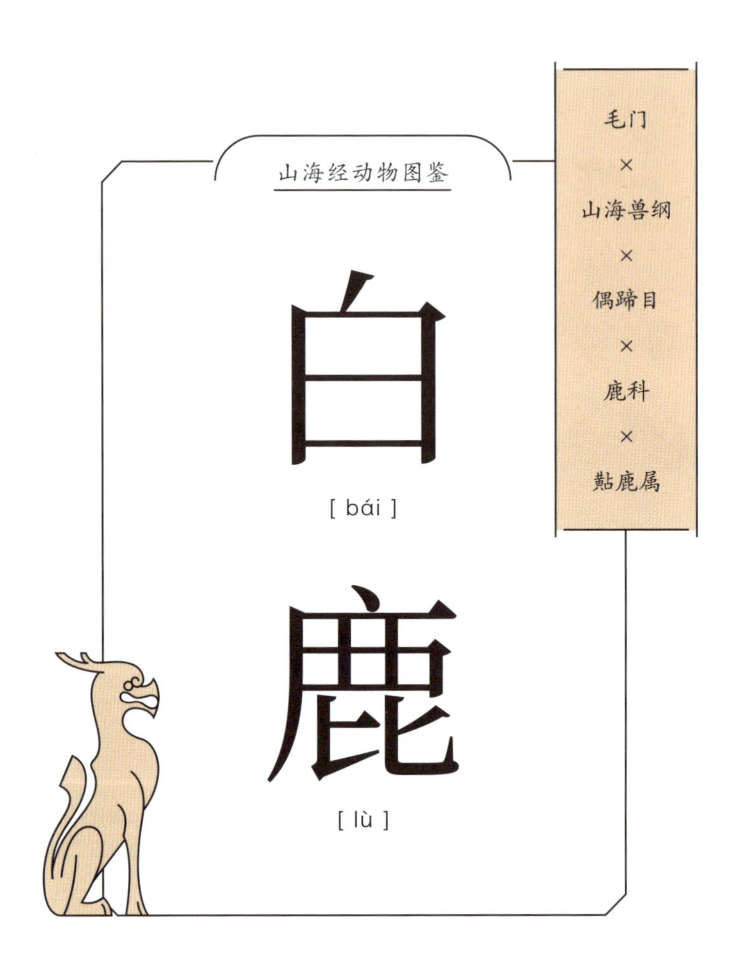

又北百二十里，曰上申之山，上无草木，而多硌石，下多榛楛，兽多白鹿。

——《山海经·西山经》

丨 白鹿跳跃姿势图

丨 栖息环境

上申之山是《山海经·西山经》第四山系中的第六座山。山顶没有草木，是裸露的岩石地貌，周围则是悬崖峭壁。从山腰开始出现绿色植被，由苔原慢慢过渡到大片的灌木林地，山间还有一处河谷，流出清澈的山泉河流，奔向东边的大河。河边是青青的草场，上面生活着一群白鹿。

丨 形态特征

白鹿的体型比较小，与山羊差不多。雄性长角，身长近2米，肩高1米左右；雌性体型略小于雄性，无角。雄性的鹿角非常大，有5~6个分叉，长度可达体长的一半。它们浑身的皮毛均呈雪白，只有鼻头和蹄子是棕黑色，眼睛圆而湿润，看上去非常温顺。

刚出生的小鹿皮毛是棕黄色的，点缀着白色斑点，这样的体色能够帮助它们隐藏在灌木和草丛中，不易被食肉动物发现。长大之后，毛色会转变为纯白。

它们的腿骨看似纤细，实际上非常有力，能在岩石地带奔跑跳跃。成年白鹿在越过峭壁的时候，能最大限度地拉伸身体，前后肢体基本处在同一水平面上，身姿矫健。

| 白鹿成年（左）与幼年（右）形态对比图

| 生活习性

白鹿为群居，没有领地概念，以家族为单位觅食，即使生活区域与其他鹿群或种群重叠，也不会发生冲突。它们的群体组成与麋鹿一样，分成三种类型：成年雌性与1岁以内的小鹿形成雌性群，由最年长的雌鹿带领；3~5岁的未成年雄鹿自己聚成小群；而成年雄鹿独居，但其实也只是游离在雌鹿群外围，相隔并不远。

雄性小鹿在2岁以后开始长角，初生的鹿角被称为鹿茸，外侧包裹着皮肤，上面有大量的血管分布，需要3~5年的时间才能长成，长成后供血停止，外侧的皮肤干裂脱落，露出角质表面。

又北二百二十里，曰盂山，其阴多铁，其阳多铜，其兽多白狼白虎，其鸟多白雉白翟。

——《山海经·西山经》

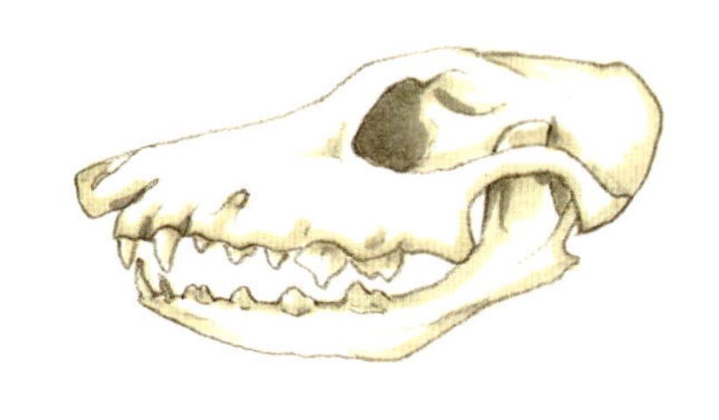
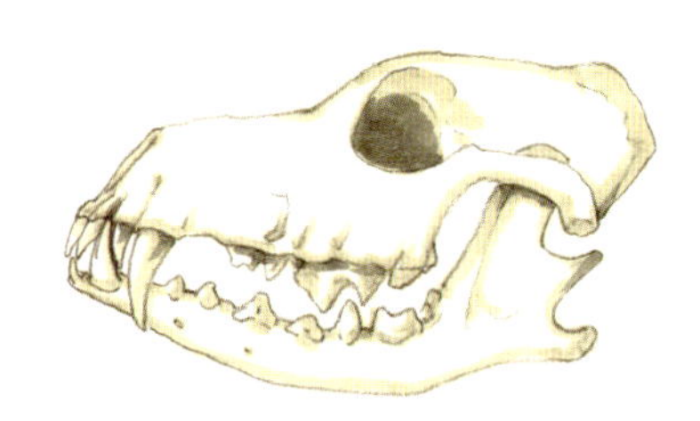

| 犬头骨（左）与白狼头骨（右）对比图

| 栖息环境

孟山距离上申之山约五百里，因山体形似一个倒扣的盆而得名。山顶至山脚都覆盖着厚厚的积雪，在春夏季节雪融化成水，汇聚成一条河流，名为生水，流往东面的大河，但生水在寒冷的秋冬两季会冻结断流。冰层下面的岩石中，蕴藏着丰富的铜矿和铁矿。在山脚位置有稀疏的针叶林分布，其中生活着一些耐寒的白狼。

| 形态特征

白狼是最大的野生犬科动物，两耳平行直立，耳上毛较短；全身雪白，背后尤其是靠近肩颈部位的毛特别长，尾巴蓬松下垂；四爪粗钝，不能弯缩，趾下有发达的肉垫，趾垫的面积比掌垫和腕垫的面积总和都大。肉垫均裸露无毛，令它们在雪上也能飞快地奔跑。

在数万年前，人类就驯养了一部分狼，由此出现了狗这个物种，但狼与狗的骨骼结构有很多不同之处。狼的头骨更大也更粗壮，吻部更尖，下颌骨有力，牙齿大而尖锐，犬齿长，而且尖牙大多向外倾斜。两者的腿骨差异也很大，狼的足趾更长，拇指位置偏高，与其余足趾分开，而狗的趾骨较短，紧靠在一起，基本不会分开。

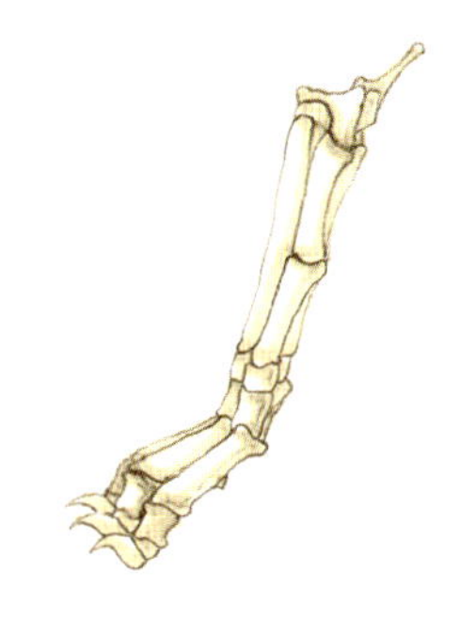

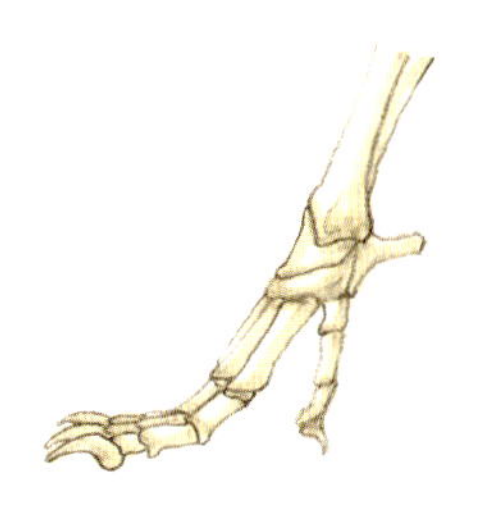

| 犬足骨（左）与白狼足骨（右）对比图

| 生活习性

白狼是永久结群生活的动物，10~30只为一群，以一只强壮的雄狼和一只智慧的雌狼为领导，指挥狼群狩猎或保卫幼崽，狼群成员之间有很强的情感联系。

它们有一定的领地意识，一般只在领地范围内活动，但盂山的生态情况不佳，猎物稀少，因此也有一些狼群需要定期迁移，寻找新的狩猎目标。它们的捕猎行动很有计划，但成功率并不高，只有1/10左右。

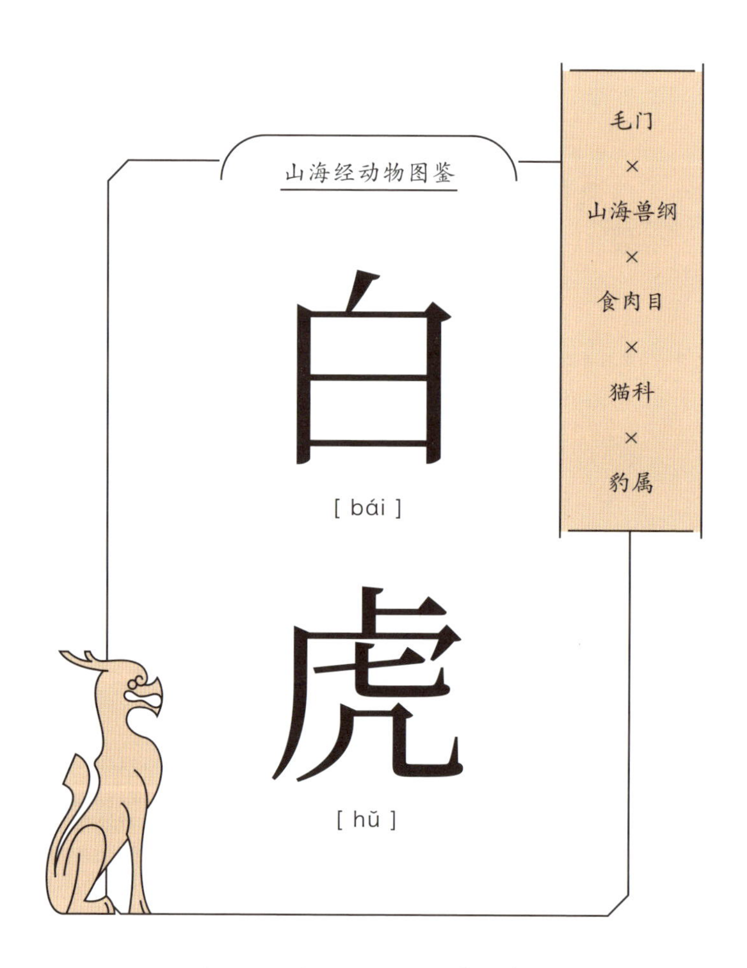

又北二百二十里，曰孟山，其阴多铁，其阳多铜，其兽多白狼白虎，其鸟多白雉白翟。

——《山海经·西山经》

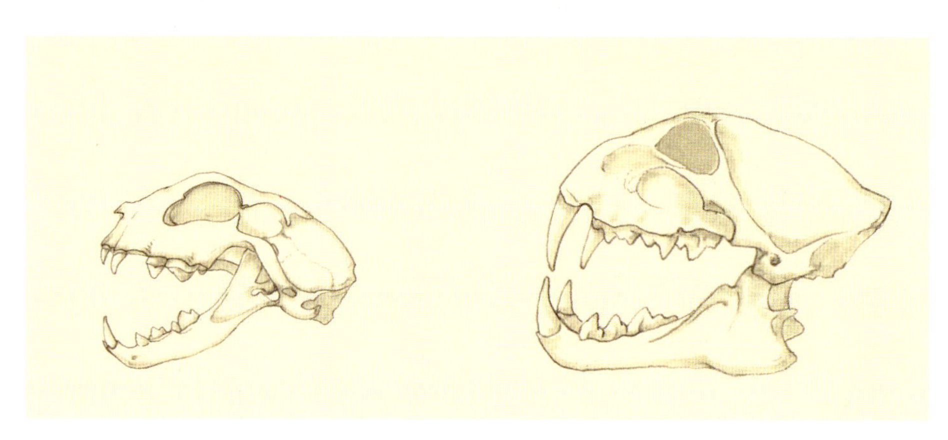

| 猫头骨（左）与白虎头骨（右）对比图

| 栖息环境

盂山上还有另一种猛兽，也是山林中的霸主——白虎。它们生活在海拔较高的位置，冬季时会向山下迁徙，在山脚的树林中栖息，但大多数时间会待在山腰以上的岩石地带。除了盂山，还有许多地方都有虎的身影，如女床山、底阳山、鸟鼠同穴山等，但只有盂山上的虎是白色的。

| 形态特征

一般的虎都是金底黑纹，这是为了适应丛林环境，可以完美地隐藏在林地和树丛之间，不被猎物发现。但生活在盂山的虎却是白底黑纹，毛短而密，有时黑色的花纹会淡化为金棕色，这是虎的变种。

白虎属于猫科，经常被形容成“大猫”，但从骨骼构造上可以看出它们与猫的显著差异。虎的头骨大而粗壮，犬齿更长，杀伤力大;眼睛的位置靠上，所占面部的比例远低于猫;下颌骨尤其粗壮，张开的角度也更大，咬合力极强，在狩猎上的优势非常大；白虎的前肢有五趾，四趾在前，一趾相对靠后，捕猎时能伸展开，就像人的手一样；而后肢只有四趾，无法辅助捕猎或抓握物体。

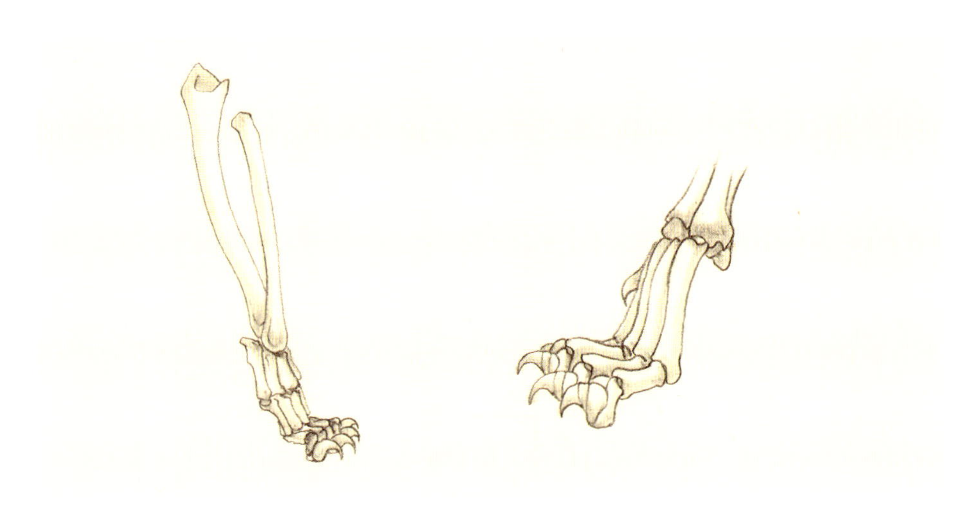

| 猫足骨（左）与白虎足骨（右）对比图

生活习性

白虎在山间独行，每只白虎都有自己的领地，它们通过尿液留下自己的气味，或在岩石、树干上留下抓痕作为标志，以此来界定势力范围。在寒冬季节食物不足时，也可能结成小群生活。这种小群一般包含3~5只白虎，它们的关系是合作捕猎和共享食物，一般在捕猎成功之后就会自动解散。

另一段结群时间是白虎的繁殖期，它们会通过气味散布求偶信息，并遵循一夫一妻制。雄虎会在雌虎的领地上长时间逗留，直到幼崽诞生。

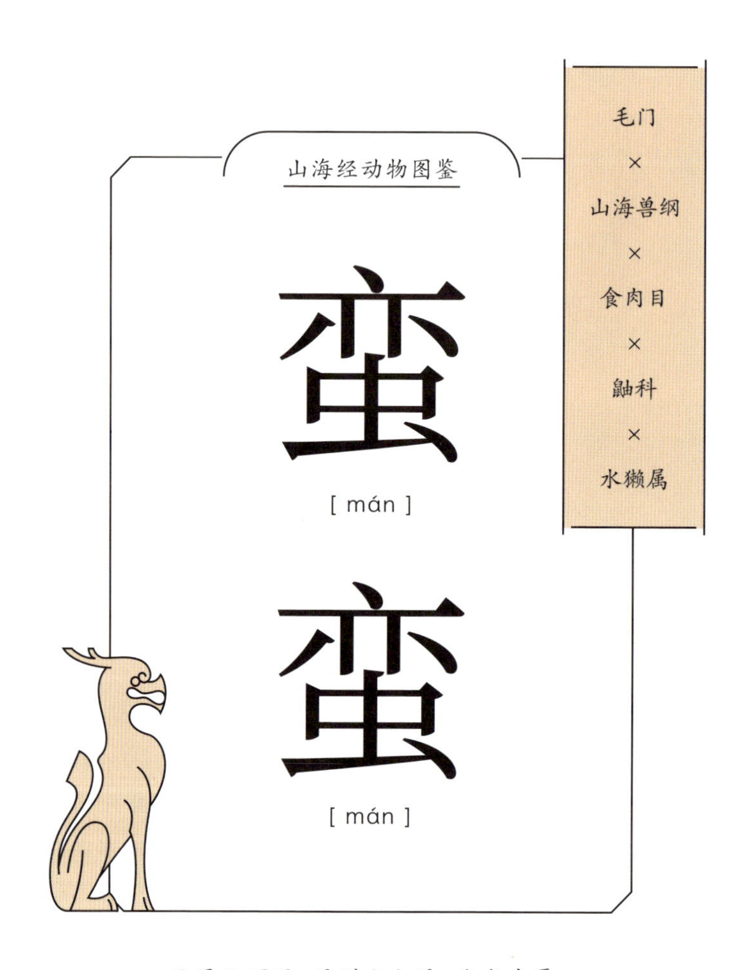

又西二百里，至刚山之尾。洛水出焉，而北流注于河。其中多蛮蛮，其状鼠身而鳖首，其音如吠犬。

——《山海经·西山经》

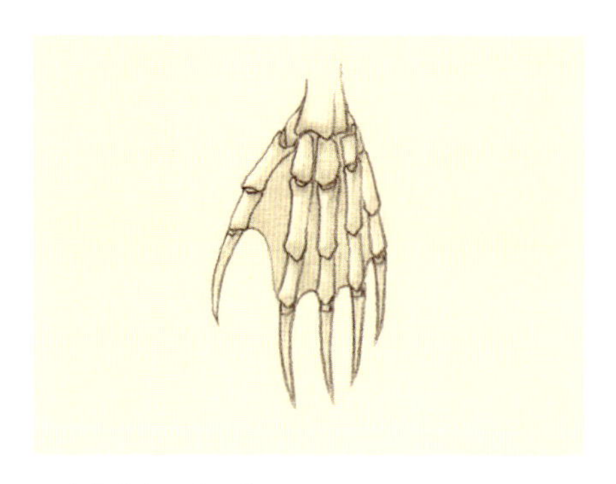

| 蛮蛮掌骨与蹼细节图

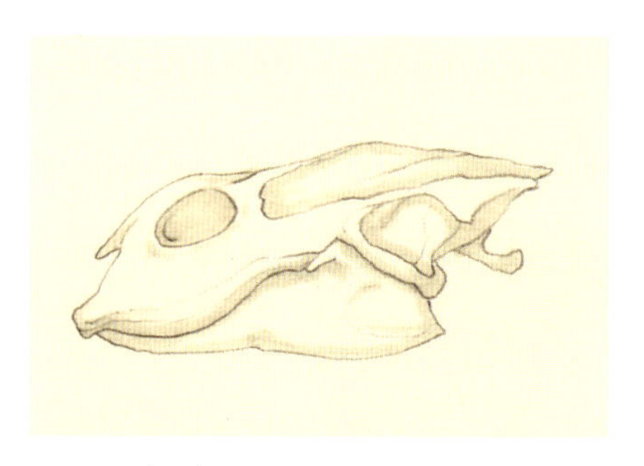

| 蛮蛮头骨细节图

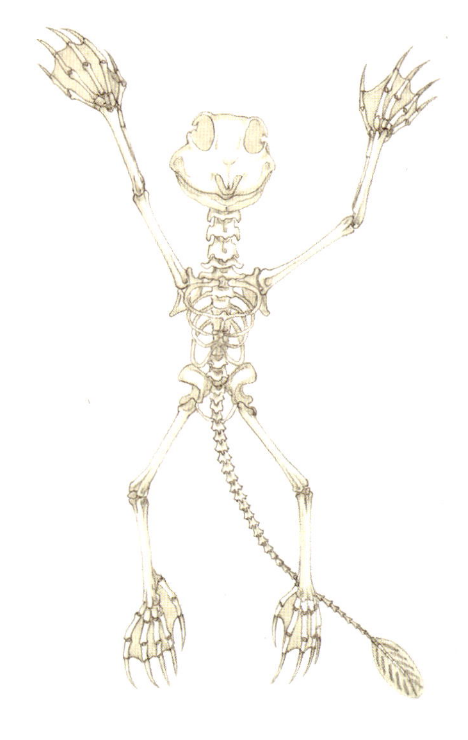

| 蛮蛮骨骼图

| 栖息环境

刚山是《山海经 · 西山经》中第四山系的第十三座山，山上生长着茂盛的漆木林，其中飘荡着许多魑魅，被称为神𩴾，实际上是林中产生的瘴气，能够带给人们幻觉，才会认为这座山是山精妖怪聚集的地方。

这座大山绵延二百里，在末端还有一座高耸的山峰，叫刚山之尾。这里是洛水的发源地。山下是大片的沼泽湿地，树木茂密，其中栖息着一种外表奇特的动物——蛮蛮。

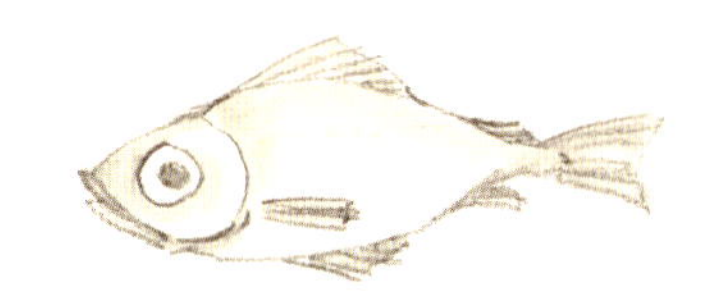

形态特征

蛮蛮的食物

蛮蛮的头部构造类似龟鳖，大眼凸出，眼部肌肉可以控制眼睛180°转动，双眼的视域可以达到300°左右。鼻子长而多肉，像是一截小巧的猪鼻，在水下可以把鼻子伸出水面呼吸。体长不足半米，尾巴超过身长。身体骨骼细小，内脏挤在狭小的腹腔之中。身体脂肪很厚，显得四肢尤其短小，脚掌很宽，前肢比后肢发达，掌心外翻，有尖利的爪子，指缝之间有蹼相连。

它们全身长着灰色的短毛，尾巴的皮肤完全裸露，尾尖有扁平的船桨状结构。没有外耳廓，听觉器官长在眼睛后方。为了防止水侵入呼吸道，鼻孔里长着肉瓣，可以在潜水时封闭鼻孔。

生活习性

蛮蛮穴居，洞穴一般位于离河流很近的岩缝或树根下。它们的前掌宽阔，适合挖掘，两天时间就能挖出深度在10米以上的洞穴。为了防止狐狸、獾一类的动物进入，洞道比较狭窄，而且蜿蜒曲折，主洞穴比较宽敞，铺着干草和树叶。

蛮蛮是夜行动物，白天藏身在洞穴中，夜间进入水域，捕捉小鱼、青蛙等动物，带到岸上进食，也吃水草、水藻和果实。它们有冬眠的习惯，但并不是几个月保持不动，而是每隔8~10天苏醒一次，迅速吃掉一些储备的食物之后，再次进入睡眠。它们粗壮的尾巴也能够积累脂肪，供应它们在冬眠期间的消耗。

又西三百里，曰中曲之山，其阳多玉，其阴多雄黄、白玉及金。有兽焉，其状如马，而白身黑尾，一角，虎牙爪，音如鼓，其名曰驳，是食虎豹，可以御兵。

——《山海经·西山经》

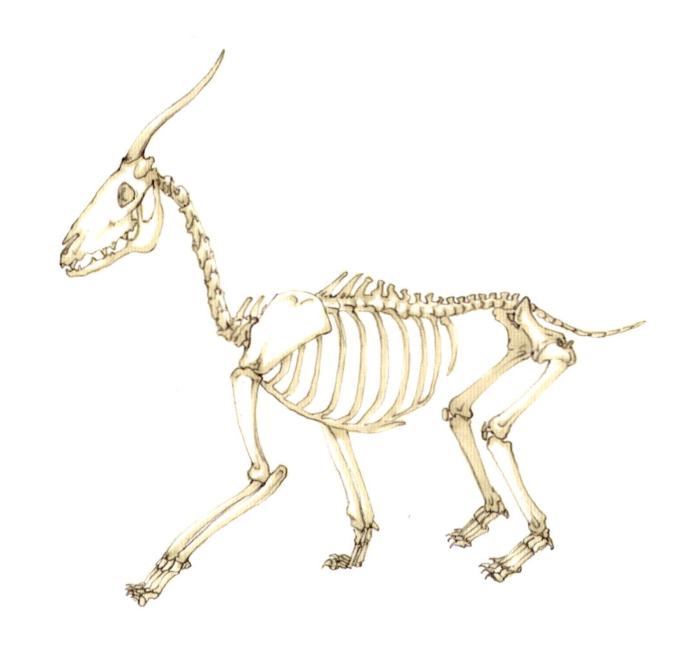

| 狡骨骼图

| 栖息环境

距离英鞮之山西面三百里处，有一座中曲之山，那里物产丰富，玉石、金属、雄黄等矿物遍布山岗，还有一片神奇的櫰木林。櫰木的叶片呈圆形，果实像木瓜一样大，人或动物食用后会变得孔武有力。櫰木林中生活着一群夜行动物，叫狡，它们凶猛异常，总是驱赶其他野兽，就像是在守卫櫰木神奇的果实一样。

| 形态特征

狡的身躯近似马，高大矫健，头顶长独角，角上光滑无纹理，略有弯曲，长度在1~2米之间。这支角从头骨顶端长出，需要7~10年的发育，长成以后与头骨愈合成一个整体，是狡的种群中每个个体的身份象征。

它们的牙齿与食草动物的有显著的区别，臼齿很少，尖牙稀疏地分布着，共有22颗。得益于强健的下颌骨，狡的牙齿虽然不大，但凭借出色的咬合力，也足以一下咬断猎物的脖颈。

它们最突出的特征是长着猫科动物一般毛茸茸的爪子，前后肢都是四趾，拇趾基本退化，只有悬在脚掌后侧的一块小骨表示它们曾经存在过。它们以趾行的方式行动，趾下和趾间均有肉垫，红色利爪可以自如伸缩。

| 狡独角的发育过程图

| 颌骨与牙齿细节图

| 生活习性

狡是夜行动物。它们的皮毛乌黑发亮，可以完美地隐藏在夜色中。眼睛内部有照膜结构，感光能力很强，即使在夜间也能感知远近的树木、山石、湖水等景物，还会反射出红色的光。

它们的皮肤有很强的韧性，猛兽的尖牙难以咬穿，因此它们在荆棘丛中也能活动。专门捕食大型猛兽；听觉和嗅觉系统比较发达，对水分非常敏感，可以在干燥的环境中寻找水源。

独角是它们在族群中的身份标志，如果一只狡的角折断了，它就会被逐出群体，成为流浪者，再也不能回到櫰木林中。

西南三百六十里，曰崦嵫之山，其上多丹木……其阳多龟，其阴多玉。苕水出焉，而西流注于海，其中多砥砺。有兽焉，其状马身而鸟翼，人面蛇尾，是好举人，名曰孰湖。

——《山海经·西山经》

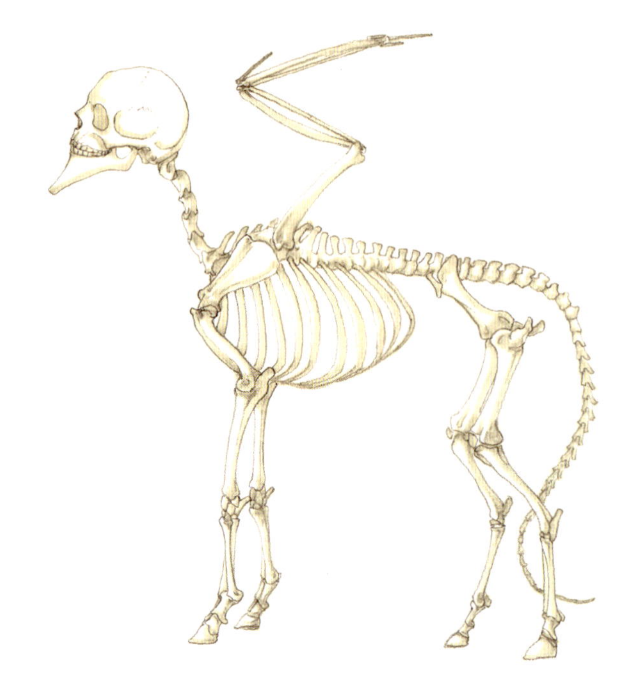

丨 孰湖骨骼图

丨 栖息环境

孰湖是生活在崦嵫山上的一种动物，崦嵫之山是《山海经 · 西山经》所记录的最后一座山，相传是太阳落下的必经之地。山上有一片丹木林，丹木高大致密，不怕火烧。山下有一条河，名为苕水，从南绕向西面，汇入西海之中。水中沉着许多磨石，有大群的乌龟在此生活。

丨 形态特征

孰湖的身体像马，头部却像人，这可能是一种拟态。它们身体的构造与马基本一致，不同点在于头骨、尾骨以及肩胛骨后方多出的一对翅膀。头骨与颈骨的连接处在枕骨下方，与四足行走的动物不同，说明孰湖像人类一样，通常会保持抬头姿势。头骨膨大圆润，脑容量较大，可以处理一些复杂的信息和交流。下颌骨分为两块，多出一块长而尖的软骨，在肌肉和皮肤的包覆之下，因此显得面部很长。

孰湖的翅膀小，无法飞行，平时收拢在身体两侧，飞羽均为黑色；遇见敌人时，展开的翅膀可以增大它们的体型，威慑对手；尾巴很长，能拖到地面，上面布满肌肉，强壮而灵活，就像大象的鼻子一样，可以卷起树枝和石块。

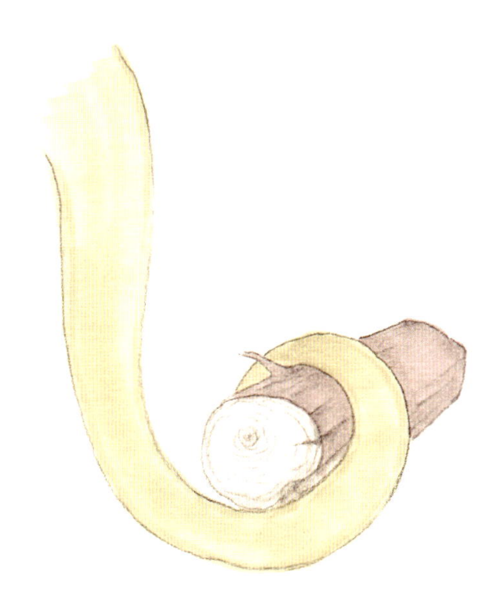

| 踆湖以尾举物示意图

| 生活习性

从牙齿就能看出，踆湖不是肉食性动物。它们的下颌骨灵活，口裂大，张嘴时仿佛面部整体裂开一样；主要吃树上结的果实，偶尔也啃食树叶嫩芽和青苔。它们对盐分很着迷，喜欢饮用矿物质丰富的水，在寒冷的季节，还会舔食河边岩石上析出的天然盐。

踆湖的性情温和，一般不会攻击其他动物，智力发达，聪明活泼，每天除了进食，会花费大量时间玩耍取乐。尾巴是其最实用的部位，可以帮助采食、玩耍、战斗，还能缠住一些体型较小的动物，将其举起来以示友好。

又北二百五十里，曰求如之山，其上多铜，其下多玉，无草木。滑水出焉，而西流注于诸毗之水……其中多水马，其状如马，而文臂牛尾，其音如呼。

——《山海经 · 北山经》

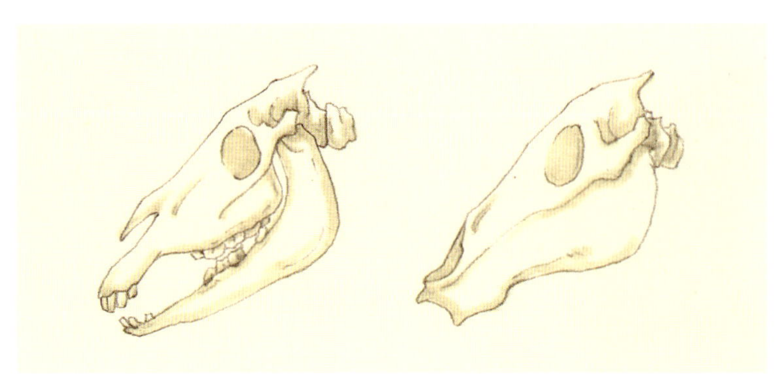

| 马头骨（左）与水马头骨（右）对比图

栖息环境

求如之山下的滑水中，有另一种神奇的动物，名为水马。求如之山矿产丰富，从山间发源的滑水富含多种矿物质，盐分相比大多数河流都要高。河水流速缓和，水底泥沙淤积，生长着许多水草和藻类植物。水马生活在其间，体色自然而然地变成青绿色，可以与水草融为一体。

形态特征

水马并不是鱼类。它们曾经生活在岸上，大约与现在陆地上的野马一样。但是出于某种原因，它们开始进入水中生活，体型不断缩小，骨骼也发生变形。成年后的水马体长不过半米，上下颌骨愈合；牙齿消失，鼻腔和口腔合为一体，食物和氧气都从同一通道进入；嘴像一根尖圆的长管，不能闭合，肺部很早就消失了，取而代之的是近似鳃的构造，在耳朵的位置，出现一排小孔，用于排出流进口腔的水，而内部的血管能收集水中的溶解氧，进行气体交换。

它们颈部两侧各有一列水泡状的气囊，用来储备气体和发声。它们的叫声尖锐绵长，很像人在大声呼叫；全身长着许多叶片状的增生结构，既像鱼鳍，又像水草。原本的蹄足转变为4根骨刺，用来撑开鳍足。它们依靠足肢滑水游动，尾部无鳍，只留有一截短短的尾巴，没有实际作用。

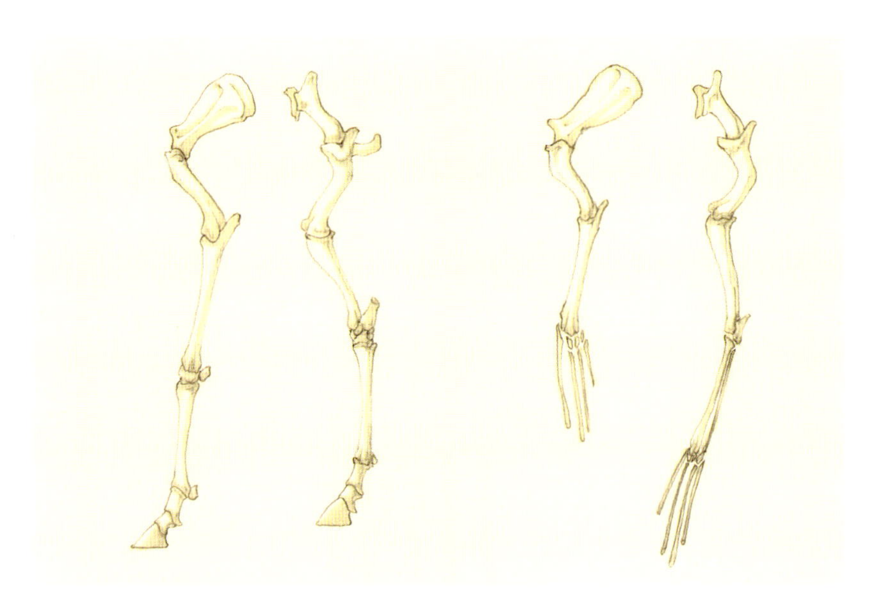

| 马前后腿骨（左）与水马前后肢骨（右）对比图

| 生活习性

水马通常栖息在水草茂密的角落，躲在水草或水藻丛中，不喜欢光照，身上的叶鳍随着水波晃动，起到一种拟态作用。它们喜食小鱼小虾、浮游生物等，由于嘴不能张开合拢，只能摄取比嘴小的食物，如果大块食物卡住食管，有可能会导致其死亡。

它们只在交配季节浮到水面上，利用颈侧的气囊发出尖锐的叫声来呼唤同伴，根据回音的不同获取信息。雌性水马在怀孕期间会在水草中一动不动，也不进行捕食，忍受饥饿长达45~60天。雄性水马则会在生产后接手幼崽，抚养它们直到成年。

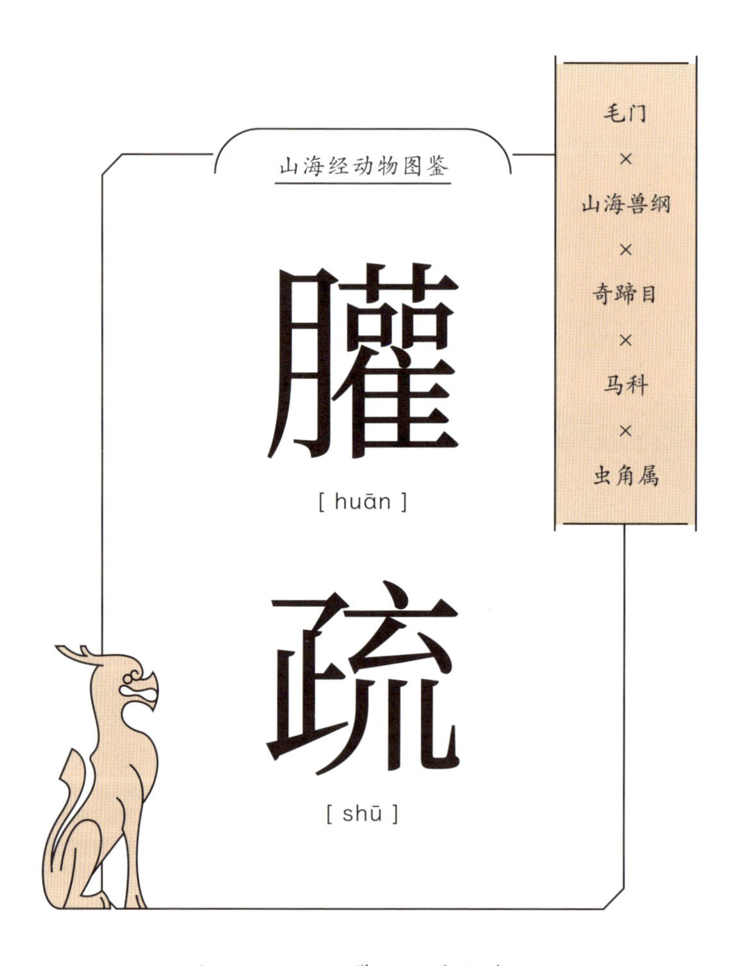

又北三百里，曰带山，其上多玉，
其下多青碧。有兽焉，其状如马，
一角有错，其名曰臛疏，可以辟火。

——《山海经·北山经》

| 野马（左）与朧疏（右）体型对比图

| 形态特征

朧疏是一种矮马，身高不足1米，头部较圆，前胸凸出，后颈堆积着厚厚的脂肪层；四肢粗短，肢端上粗而下细，比例很不协调，后肢小腿存在明显的外撇；蹄部钝圆，骨节较大。

朧疏的头顶长有独角，向其身后弯曲，末端分叉，形成“丫”字状。角具有外骨骼，包裹着内部神经，尖端具有触觉和温度感知能力。

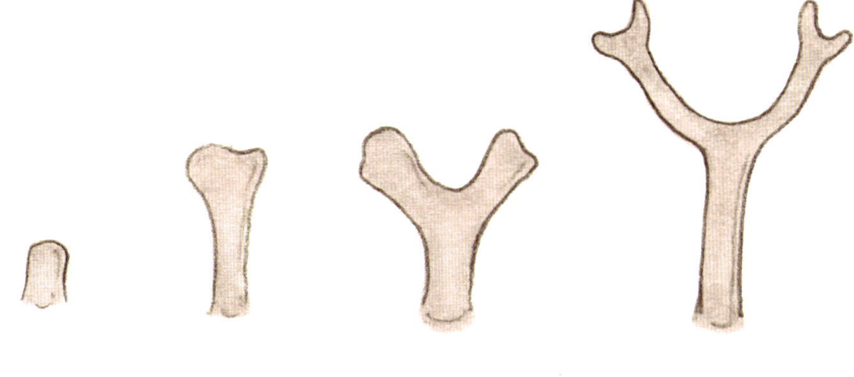

| 臛疏角的发育过程图

| 栖息环境

臛疏的原生地在带山，山体内部多玉矿，草植稀疏，山腰处有一片灌木林。临近山脚是一片河谷，植被相对茂盛，草本植物种类较多，春夏季节会开出成片的野花。

| 生活习性

它们的食量较小，日常啃食草叶、根茎、树枝等，偏好带甜味的食物，例如灌木结出的浆果；耐旱性强，对水的需求量不大，因此多在山间的灌木林附近生活；胆小易受惊，害怕突然出现在视野内的动物。

臛疏喜欢群体行动，但群体内没有首领。在求偶期，雄性会相互角斗以争夺交配权，但不是用角相撞，而是将角插入对手的腹部下方，将其举起抛出或掀翻在地。幼崽通常在秋季诞生，经过第一个冬季之后开始长角，新长出的角外部包裹着茸毛，随着角顶端膨大、分叉、再分叉的过程而不断变薄，最终脱落，露出骨骼。

又北四百里，曰谯明之山。谯水出焉，西流注于河……有兽焉，其状如貆而赤豪，其音如榴榴，名曰孟槐，可以御凶。

——《山海经·北山经》

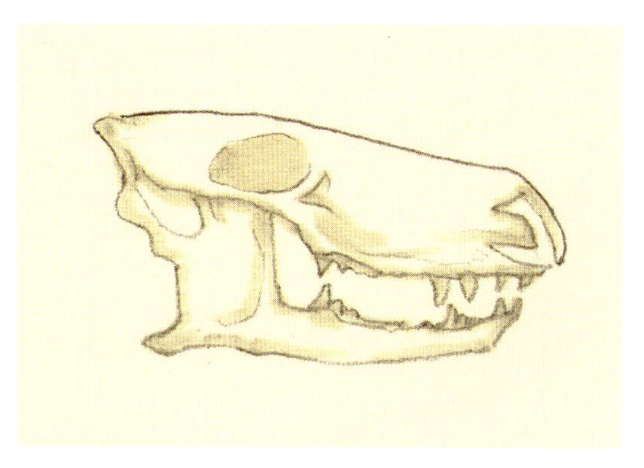

孟槐头骨图

孟槐御敌姿势示意图

栖息环境

谯明之山是《山海经 · 北山经》记录的第一山系第四座山。山上几乎没有草木，只有砂土和岩石，风蚀严重，只有雨后的短暂时间内会出现一些耐旱的杂草，但很快就会枯萎。孟槐就生活于此。

形态特征

孟槐是生活在洞穴里的异温动物，头大颈粗，鼻头裸露，吻部膨大钝圆，嘴开口靠后；背部布满尖刺，颜色黑红相间，头、腹、四肢被毛；耳朵呈三角形，尾巴短小，均为裸露的皮肤；前后足均为四趾，趾爪坚硬，擅长挖掘。

它们的体型很小，与田鼠差不多，鼻端胡须丛生，能够丈量洞穴的宽度。身上的脂肪集中在下肢，可以支撑它们坐在肥大的臀部上，使其能够抬头通过嗅觉收集环境信息。它们的头骨较重，下颌宽大，牙齿分为前后两个区域，眼睛位置靠上，但视力不佳。

| 孟槐的食物

| 生活习性

孟槐以谯明山上的节肢动物为食，包括蜘蛛、蜈蚣、蝎子等，完全不受其毒性影响；雨后时也会从洞穴中出来，寻找新鲜的草叶食用。遇到敌人或感觉到威胁时，它们会迅速咬住自己的尾巴，把身体蜷成球状，竖起满身的尖刺，形成防御姿态。

它们的叫声像是水井轱辘转动的声音，尖锐而有节奏。孟槐一般独自居住在一个洞穴内，即使是交配之后，雌性也会独自回到洞穴。产下的幼崽跟随母亲生活，直到成年。孟槐有冬眠的习惯，在冬眠时体温下降到与环境温度持平，生理机能也随之减弱，就像假死一样。

又北三百八十里，曰虢山，其上多漆，其下多桐椐。其阳多玉，其阴多铁。伊水出焉，西流注于河，其兽多橐驼。

——《山海经·北山经》

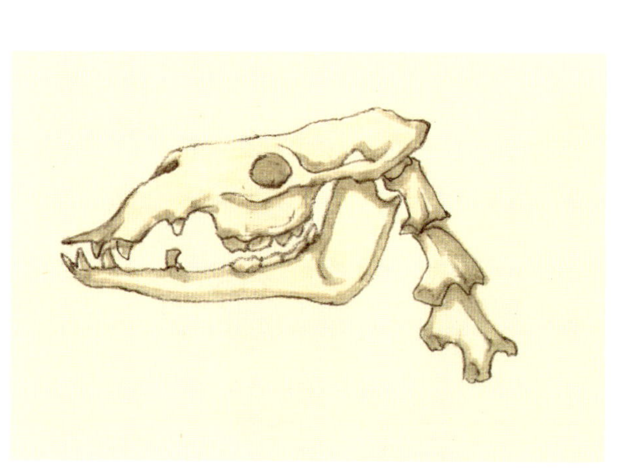

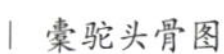

橐驼头骨图

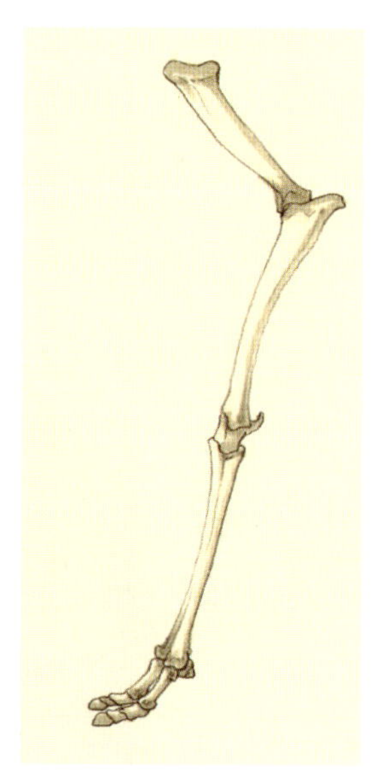

橐驼足肢骨骼图

栖息环境

橐驼是旱地动物，适应干燥缺水、烈风扬沙的沙漠和戈壁地带，但在《山海经·北山经》中的虢山，一座遍布树木、水源充足的高山范围内，也出现了它们的踪迹。

形态特征

它们头上没有角，耳朵和眼睛较小，睫毛浓密，可以遮挡风沙；上唇裂开，鼻孔扁平如缝，可以关闭；吻部细长，门齿尖锐，向前凸出，臼齿发达，可以咀嚼硬度很高的食物；门齿和臼齿之间有一个较大的间隙，其间上下各有一颗犬齿，上牙较短，下牙末端较平；颈部细长，背部隆起单个驼峰，可以储蓄脂肪。

其腿骨的构造与食草动物类似，但没有蹄，只有两个并列的弯曲的趾甲保护脚的前部，中间形成凹槽。脚下有一层弹性很强的肉垫，使其脚底与地面的接触面积增加，走在沙上也不会下陷。

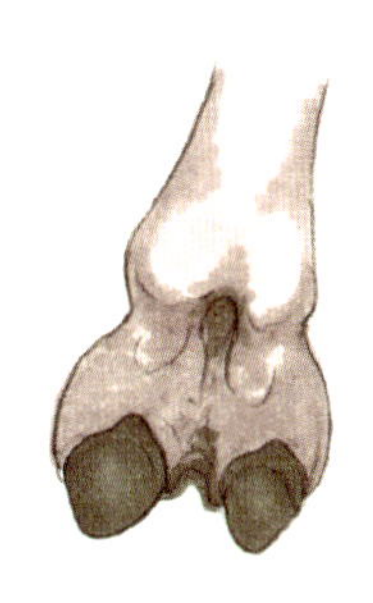

| 足部细节图

| 橐驼伸舌示意图

| 生活习性

橐驼是草食动物，能吃带刺和含盐的植物。它们的舌头很长，可以帮助饮水和取食；单次饮水量非常大，水分可以在体内循环利用；鼻子的构造能使水分不流失出体外，体温升高时也很少出汗；排泄物是高度浓缩的尿液和干燥的粪便。

橐驼为群居，由一头雄性首领带着多头雌性和幼崽共同迁徙，求偶时雄性橐驼的舌下会长出一个袋状肉球，挂在口腔外部散发气味信息，以吸引异性。

又北三百八十里，曰虢山，其上多漆，其下多桐椐。其阳多玉，其阴多铁。伊水出焉，西流注于河。其兽多橐驼，其鸟多寓，状如鼠而鸟翼，其音如羊，可以御兵。

——《山海经·北山经》

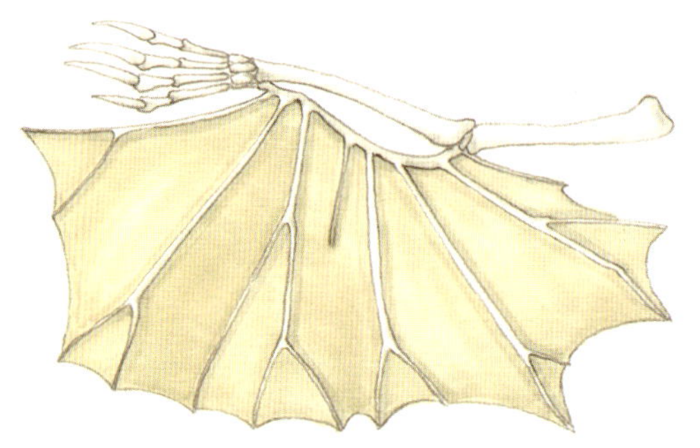
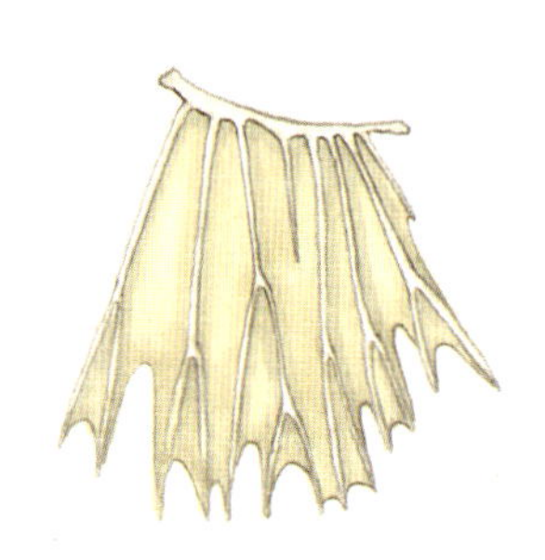

前肢膜翼展开（左）与收拢（右）示意图

形态特征

古人曾以为会飞的动物一定是鸟类，其实不然。寓就是一种前肢带翼的小型野兽。它们的头部小，鼻头裸露，胡须长而密集，耳朵宽大；身体长而圆，臀部脂肪很厚；四肢细小，前后俱为四趾，趾爪长度超出足掌的长度；浑身被柔软的棕色绒毛覆盖，腹部为白色，只有耳朵和尾巴部分裸露出皮肤。

前肢和尾尖有膜状翼结构分布，由翼膜和骨棘构成，翼膜是皮肤的衍生物。整个结构可以自由展开与收拢，在飞行时可随气流调节角度；后肢比前肢短，飞行时向后伸直，贴在尾巴两侧。

栖息环境

寓栖息在虢山上的树林里，虢山的树木资源丰富，山顶长满漆树，山脚下则多梧桐和椐树，地下蕴藏着玉矿和铁矿。伊水从山间发源，向西汇入黄河。寓不会自己建造巢穴，而是居住在天然树洞或废弃的鸟巢中，还有一部分聚集在山中阴暗的峭壁上。

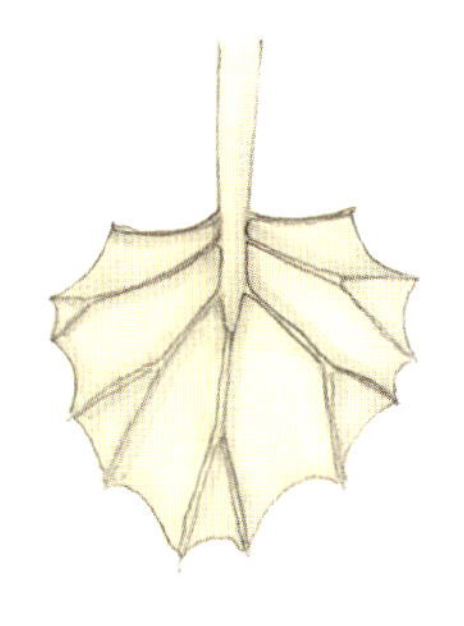
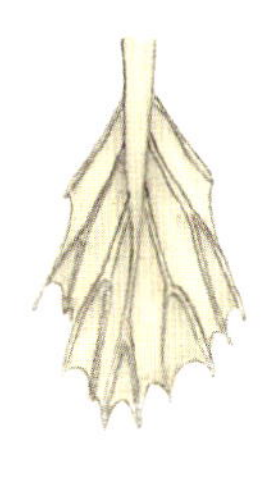

| 寓尾翼展开（左）与收拢（右）示意图

| 寓飞行示意图

| 生活习性

寓的食性广泛，植物包括树叶、花蜜、果实、根茎、种子等，动物则有昆虫、鱼类、两栖类和小型鸟类。

它们是夜行动物，夜视能力极佳，会发出羊一般的叫声，同类之间可通过叫声的频率差异判断敌友关系；群居生活，合作捕猎，群体内性别单一，在非繁殖季节，雌雄基本不在一处栖息；无冬眠习性，但臀部能储蓄脂肪，在食物稀少的冬季，可以忍耐30天以上不进食。

又北二百里，曰丹熏之山，其上多樗柏，其草多韭䪥，多丹雘。熏水出焉，而西流注于棠水。有兽焉，其状如鼠，而菟首麋耳，其音如嗥犬，以其尾飞，名曰耳鼠，食之不䐜，又可以御百毒。

——《山海经·北山经》

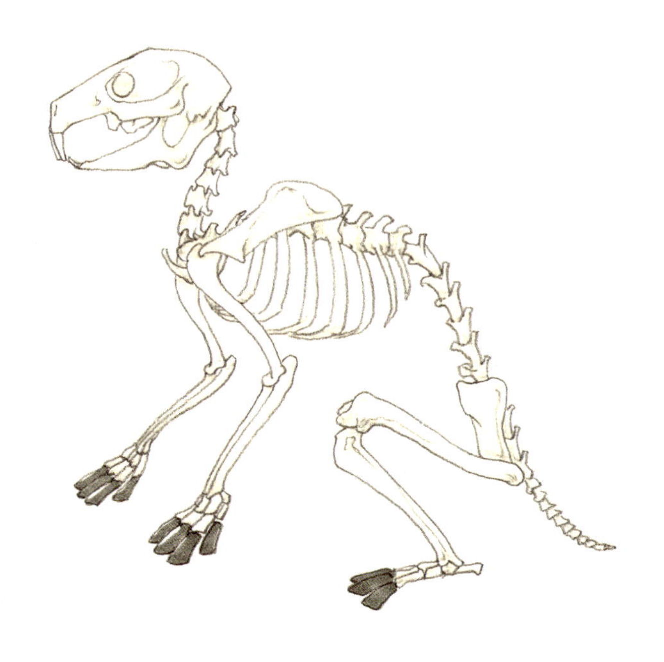

| 耳鼠骨骼图

| 栖息环境

从虢山向北进发二百里，是丹熏之山，以出产丹雘矿石闻名。山上遍是椿树和柏树，地面上多长野菜，主要有野生韭菜和薤菜。山中有熏水发源，向西流入棠水。此山多陡峭的悬崖山壁，无大型动物居住。耳鼠生活于此。

| 形态特征

耳鼠毛发较为稀疏，显现出肉黄色的皮肤，鼻端和四肢末端绒毛较为密集，呈深棕色；头部窄长，鼻孔开口小，头骨构造与兔近似；上门齿很长，从上唇裂口处伸出，并且会不断增长；耳朵极大，每只可分成两个区域，中间有一道裂口，形状类似蝴蝶的翅膀。

身体圆胖，前肢细小，后肢较为发达，在遇到威胁时可以用后肢站立起来。足趾较大，前后均为五趾，趾甲厚实坚硬，略微弯曲，边缘较钝。尾巴短小，基本没有毛发分布。

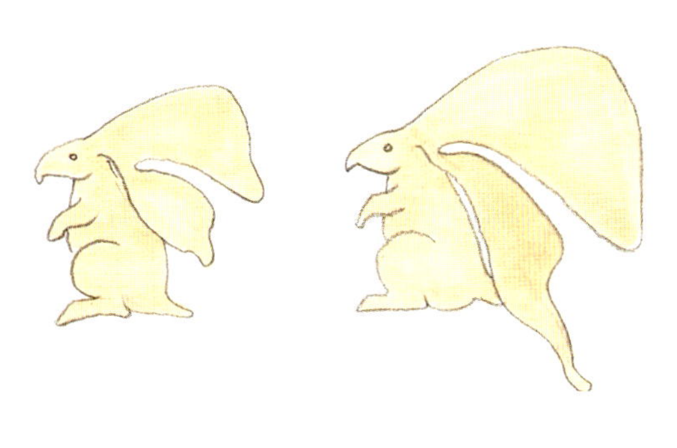

| 耳鼠耳朵的生长过程图

| 耳鼠飞行姿势图

| 生活习性

耳鼠擅长爬树，多数时间待在树冠高处，没有巢穴，但有固定的排泄区域。它们可以依靠耳朵飞行，但耳朵内部并没有骨骼支撑，而是由两片薄膜压紧内部气泡构成，表面生长着细密的绒毛，重量很轻。

和牙齿一样，耳鼠的耳朵也不会停止生长，在它们幼年阶段，身体的生长速度快于耳朵，因此进入成年阶段初期，耳朵的大小不足以带动身体飞行。随着成年后体型增长的停滞，耳朵进入快速发育时期，很快就能长到合适的大小，使得它们能在树林中自由飞翔。但耳朵的尺寸超过身体后，扇起来会很费力，因此耳鼠会逐渐丧失飞行能力。

又北二百八十里，曰石者之山，其上无草木，多瑶碧。泚水出焉，西流注于河。有兽焉，其状如豹，而文题白身，名曰孟极，是善伏，其名自呼。

——《山海经·北山经》

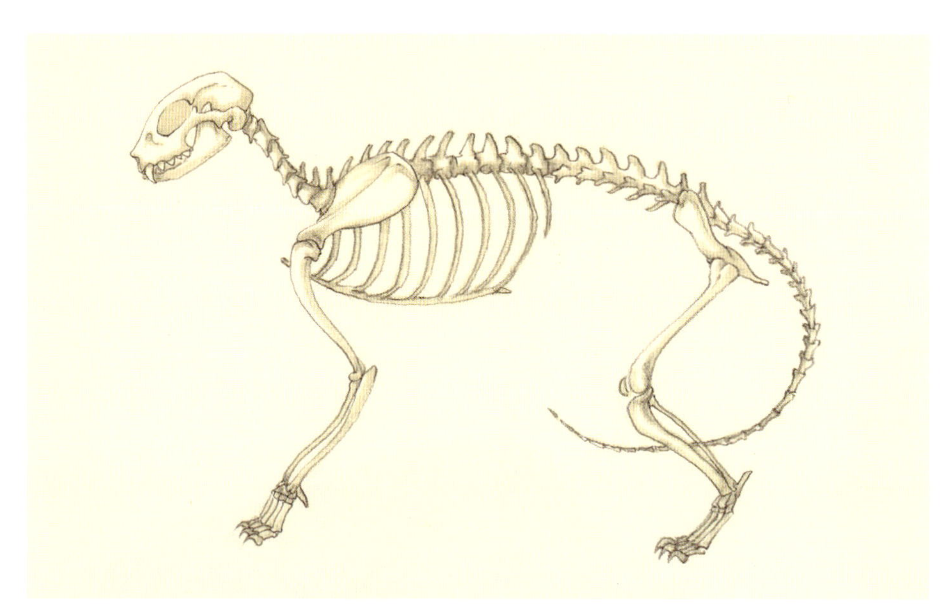

| 孟极骨骼图

| 栖息环境

孟极是古代的一种豹形动物，居住在大陆北部的石者之山。这座山多出玉石，但植被稀少。山势险峻，常年积雪，雪线以下是荒漠地区，多见裸露的山岩。

| 形态特征

孟极的体型大小是家猫的3~4倍，与狮、虎这些大型猫科动物相比不算大。头部小而圆，鼻骨较短，面部宽，耳朵位置较低。背部耸起，四肢骨骼细瘦。尾巴长度接近身体的2/3。全身包裹着厚厚的皮毛，毛色灰白，布满圆圈状的斑纹，尾部有环状纹。前额花纹颜色较深，形成独特的图案。

它们的肢体非常灵活，四肢关节的形变能力强，前后肢可以折叠，使得身躯紧贴地面，有效地帮助它们在捕猎或躲避敌人时隐藏自己；前掌比后掌宽大，前足五趾，后足四趾，趾间、掌垫上均有长而粗硬的毛。

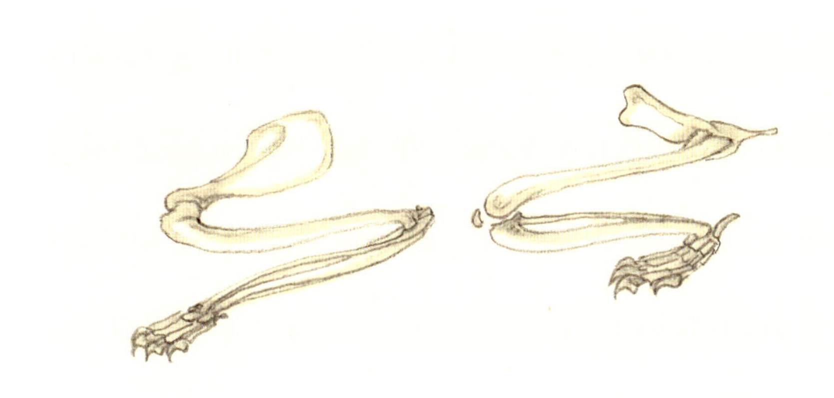

| 盂极拥有一双可折叠的前后肢骨

| 生活习性

| 独特的前额花纹

盂极昼伏夜出，夜间或清晨时分捕猎，猎物包括在高山活动的食草动物、啮齿类动物和鸟类，例如岩羊、雪兔、雪鸡等；独栖，穴居，喜好位于石者之山向阳坡的洞穴；居住地点固定，有领地意识，但不强烈，在非发情期只会对入侵自己洞穴的同类表现出明显的敌意。

它们身形灵动，善于在岩石遍地的山间奔跑跳跃，警觉性强，善于利用环境伪装和隐藏自己。它们的毛色与岩石、雪地十分接近，无论发现捕猎目标还是敌人踪影，都会迅速卧倒、保持不动。

又北百八十里，曰单张之山，其上无草木。有兽焉，其状如豹而长尾，人首而牛耳，一目，名曰诸犍，善咤，行则衔其尾，居则蟠其尾。

——《山海经·北山经》

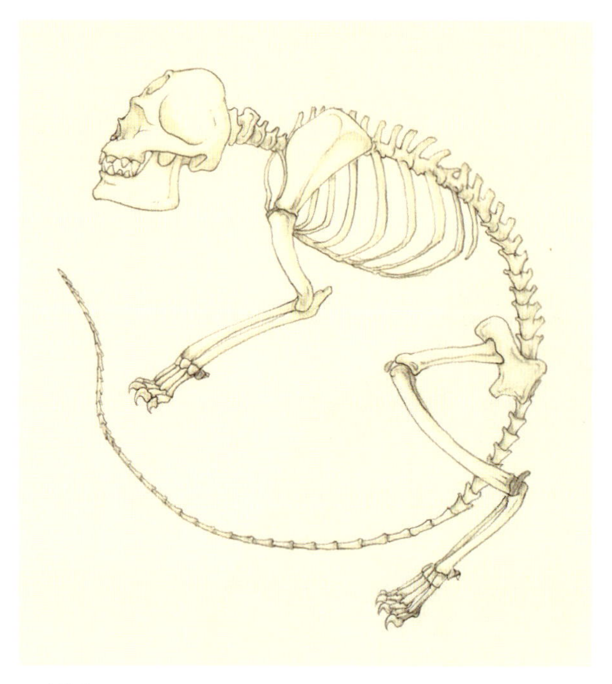

| 诸犍骨骼图

| 栖息环境

单张之山位于北域深处，纬度高，气候寒冷，山上草木凋敝，仅有积雪、裸岩和苔原。山体顶部广阔，有一片湖水，其中流出一条河，名为栎水，沿着山势向南流下，汇入杠水之中。山上只有高度耐寒的生物存在。诸犍便生活于此。

| 形态特征

诸犍是单张之山上站在生物链顶端的动物。它们的体型很小，与家猫差不多，尾巴长度超过体长；头部长出了人类面部的结构，长耳立起，鹰钩鼻，有胡须，眼睛长在额头正中，没有眼皮，所以眼睛不能闭合，但可自行分泌液体，湿润眼球。

它们的前肢短、后肢长，前后足均为四趾；除面部和足底以外全身被毛，毛色是渐变的蓝色和绿色，并遍布黑色的圈状斑纹；足底有肉垫分布，肉垫位于掌骨下方，而趾骨下被粗毛包裹；趾爪短，不可收缩。

| 诸犍行走时衔尾示意图

| 生活习性

诸犍的面部较平，嘴很短，不适合直接捕猎。它们的行动速度很快，通常是合作捕猎，由3~5只组成捕猎队伍，用似人的面目和诡异的毛色恐吓猎物，集体追击和包抄落单的岩羊、雪兔或雪鸡。直到猎物力竭后，诸犍才开始发动攻击，按住猎物，用尖锐的爪子撕裂皮肉，分食之后再四散而去。

它们生性机警，对四周的环境变化非常敏感。不需捕猎的时候，行走中会衔住自己的尾巴。在陌生的环境蹲坐或趴卧时，尾巴会盘起，围住自己的身体——这是它们缺乏安全感的表现。

又北三百二十里，曰灌题之山，其上多樗柘，其下多流沙，多砥。有兽焉，其状如牛而白尾，其音如訆，名曰那父。

——《山海经 · 北山经》

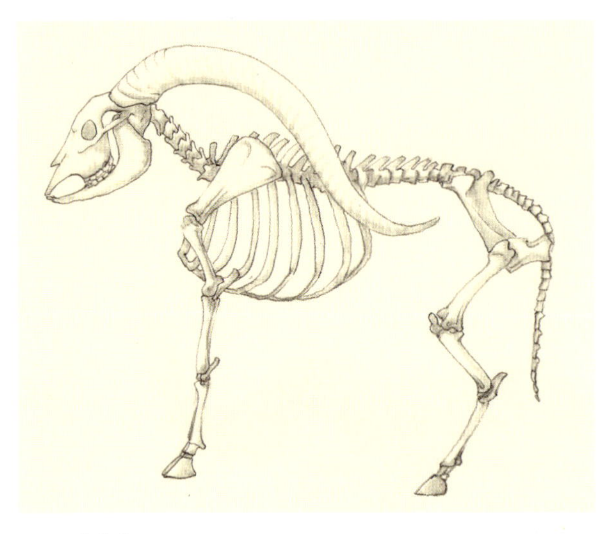

| 那父骨骼图

栖息环境

那父生活在灌题之山的河谷地带，河流的名字叫作匠韩之水，两岸绿草如茵，食物丰富。它们也会进入山上的树林，在灌木丛间觅食。

它们喜好水源充足、温度稳定的地方，既不喜欢炎热，也无法忍受寒冷。一般聚集在山脚位置，夏季迁移到山腰的森林里，冬季又回到山下。

| 那父角细节图

形态特征

那父像是体型较小的野牛，大小只有普通水牛的3/4左右。不论雌雄，头上都有一对粗壮而弯曲的尖角，双角表面有螺旋状的凸棱，长度接近体长；角的根部和角尖基本处在同一平面上，也有少部分角尖会向身体后方延伸。耳朵位于牛角下方，因被角阻挡只能向下垂，几乎不能转动。体色较浅，毛发短，呈浅灰或浅棕色，尾巴却是白的，尖端有一簇黑色的长毛。

| 一般水牛（上）与那父（下）体型对比图

| 生活习性

灌题之山上的那父属于同一个群体，数量不足2000头，由最强壮的雄性率领，占领整个河谷地区作为固有领地。大群体之中又分成无数个小群体，每个小群体以1~2只雌性那父为中心，带领着4~6只幼崽，外围还有1只或多只成年雄性担负保护群体的责任。那父胆小易受惊，受惊便会暴怒，很容易攻击其他动物。

它们喜好饮水，每天光照充足时，会因不耐炎热而泡在水中。待到黄昏时分，气温凉爽的时候，才开始进食。以草叶为主食，在夏季时进入山地丛林，吃树叶、嫩枝和果实。

又北二百里，曰潘侯之山，其上多松柏，其下多榛楛，其阳多玉，其阴多铁。有兽焉，其状如牛，而四节生毛，名曰旄牛。

——《山海经·北山经》

| 现今的牦牛（左）与旄牛（右）体型对比图

| 栖息环境

旄牛适合在海拔较高的山脉或高原生活，极北之地的潘侯之山是它们理想的栖息地。这里山势极高，山上生长着耐寒的松柏，山下遍布榛、楛一类的灌木，虽然寒冷，但水源充足，有边水发源，分数个支流灌溉着整座山上的植物。

| 形态特征

旄牛与现代体型壮大、四肢强健的牦牛相似，是它们远古的祖先或近亲。但旄牛的体长较短，头小，肩背部隆起更高，像是橐驼的驼峰一般。

旄牛的角更长，两角的间距也比牦牛更近，角身弯曲两次，更像某种羚羊。角的颜色近乎纯白，与浑身漆黑的毛色相比，显得更为雄壮。浑身覆盖着卷曲的毛，呈纯黑色。四足关节均有长毛长出，就连趾缝间也有。耳下垂，毛发较少，眼睛隐藏在浓密的毛发之后，视力弱而听力强。

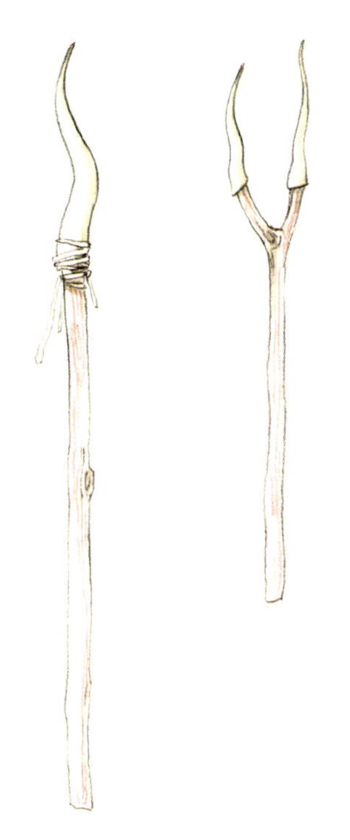

| 旄牛角制成的权杖

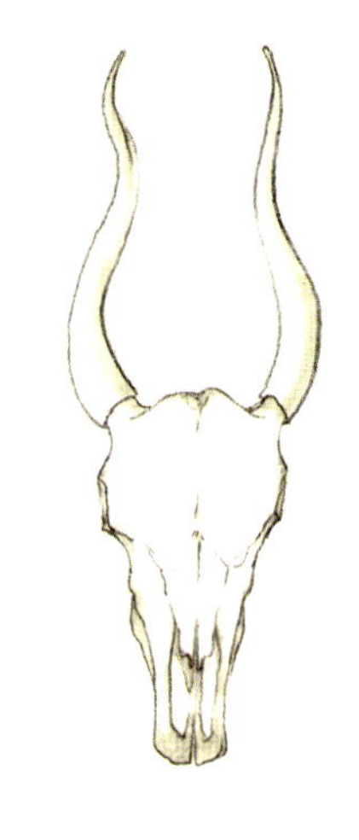

| 旄牛头骨图

| 生活习性

旄牛的食性很广，凡是高山上生长的植物都可食用，在干旱的季节甚至会用角拱倒树木，啃食根须获取水分。

它们非常合群，从来不单独行动，即使在觅食的时候分散开来，也会形成圆圈结构：最外围是强壮的公牛，内侧是成年雌性，最内侧则是年老或幼小的成员。四季都有可能迁徙，冬季寻找水源充足的平原或河谷，夏秋两季则可去往高山雪线附近进行繁殖。能抵御寒冷的气候，适应缺氧的环境，还能在雪山沼泽、陡峭山崖上行走。

它们不会轻易攻击其他动物，但暴怒时攻击力非常强，而且容易引发群体狂奔，踩踏植物或引起雪崩。族群成员衰老将死的时候，会自己离开族群，走到山下或更远的地方默默死去。

古人曾见到旄牛的尸体，取其白角制成武器或权杖，认为这样可以获取旄牛的力量。

又北二百里，曰狱法之山。瀤泽之水出焉，而东北流注于泰泽……有兽焉，其状如犬而人面，善投，见人则笑，其名曰山狎，其行如风，见则天下大风。

——《山海经·北山经》

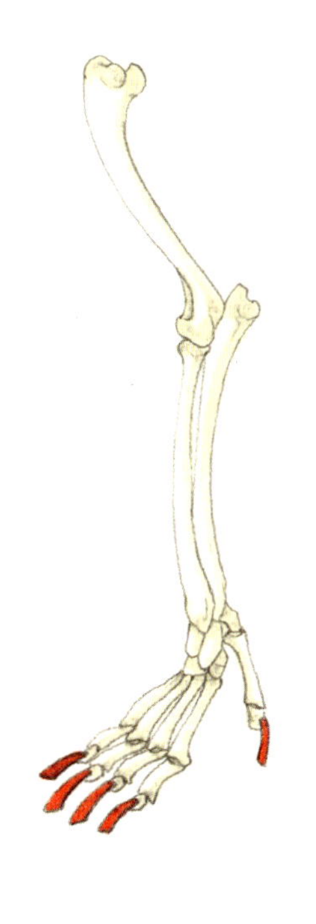

| 山猙足骨图

| 山猙遗留的毛发

栖息环境

山猙是狱法之山独有的神奇生物。狱法之山位于北部，是《山海经·北山经》第一山系的第十九座山，被少咸之山和北岳之山夹在中间。此地山高林深、人迹罕至，没人知道山上生活着多少飞禽走兽。

形态特征

山猙的形貌奇特，似高大的黑犬，双耳竖立，耳廓宽，呈圆三角形。吻长，鼻头裸露。颈、身躯、四肢细长。尾短，尾尖与前肢肘部均长有红色的长毛。前肢五趾，后肢四趾，均有赤红的尖爪露出；前肢的拇趾较长，前掌形似人手，撑开时能增大与地面的接触面积，还可抓握物体。

它们的面部似乎有一块外露的骨骼，就像戴着一块面具，上面有人的五官构造，但没有真正的眼裂和鼻孔。脑后飘着两缕长毛，像绞成两股的麻绳。

| 山猙风化姿态示意图

| 生活习性

其实没有人见过山猙的全貌，因为它的行动太快，就像一阵山风。进山的人只看到了一闪而过的模糊幻影，然后从树梢、草丛中发现了散落的红绳状毛发，由此想象出山猙的模样。

山猙是风的化身，奔跑时身体可以拉伸扭曲成任意姿势，甚至能变化成不同形态。它会带起狂风，摇落树上的果实，并发出呼啸的声音。人们于是传说它擅长投掷，而且见人便笑。

又北二百里，曰北岳之山，多枳棘刚木。有兽焉，其状如牛，而四角、人目、彘耳，其名曰诸怀，其音如鸣雁，是食人。

——《山海经·北山经》

| 诸怀骨骼图

| 形态特征

诸怀的头部构造近似犬科动物，吻部长而宽，獠牙极长，挂在嘴唇以外。四角两两对称，分成两组。头顶的一对短而细小，较直。位于头骨两侧的角则十分粗壮，向下弯曲，挂在身体两侧，看起来非常笨重；角内部中空，由极细的骨枝构成，外部套上一层骨质的壳，形成巨大的尖角，具有很强的威慑力，但战斗力实际并不高。

它们的身体多肉，四肢短小，前足蹄壮大，有悬蹄；后足趾爪较小；后肢异常强壮，具备很强的跳跃能力。

| 栖息环境

诸怀与三危山上的獓䝈为同属异种的近亲，头上都长着四只角。但獓䝈能适应寒冷的环境，诸怀却需要相对温暖湿润的栖息地，因此多见于《山海经·北山经》中的北岳之山。此山多树，分布有大片的灌木丛，水源充足，食物丰富。

| 诸怀两对角的位置及形态对比图

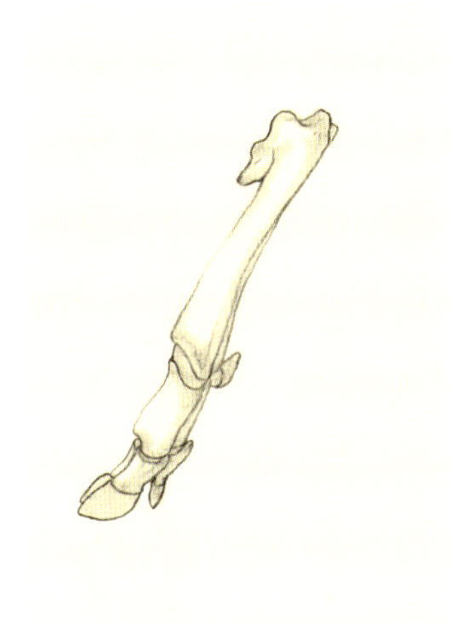

| 诸怀蹄部细节图

| 生活习性

诸怀是肉食性动物，虽然属于牛科，长有猪一样的蹄子，但满口尖牙表明它们是凶猛的猎食者，主要捕杀山中的野兽，小至野兔，大到虎豹。因叫声如同大雁在鸣叫，有时能吸引一些食肉动物靠近。也会捕捉水中的大型鱼类，鮨鱼就是其中之一。

诸怀为群居动物，可以组成数量庞大的群体，共同照顾族群中的幼崽和老年诸怀。捕猎时则单独或两两合作行动，如果猎物体积太大，则会被带回族群中，由首领进行分配。

又北百七十里，曰隄山，多马。有兽焉，其状如豹而文首，名曰狕。

——《山海经·北山经》

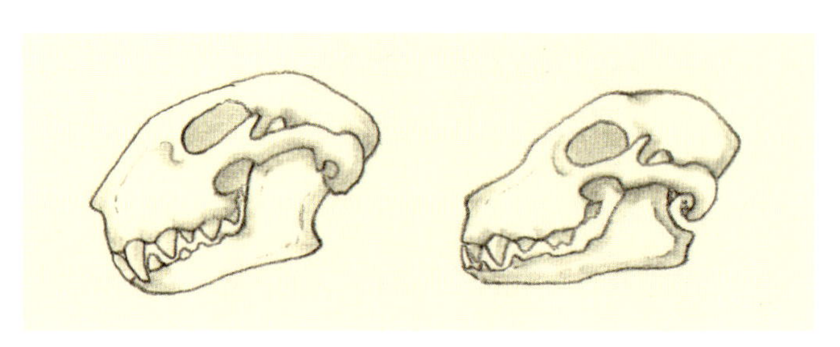

| 雪豹头骨（左）与猲头骨（右）对比图

| 形态特征

猲的头部很像雪豹，但鼻子更宽，吻部细长，头骨比豹更为窄平，下颌骨也更细弱，咬合力不强；体型大小只有雪豹的2/3左右，尾长与体长比例接近1:1。

为适应寒冷的气候，猲的皮毛很厚，而且在大量运动后也很少出汗，因此减少了热量的流失。

它们全身的皮毛呈棕灰色，有黑灰的斑点分布在肩背、上肢端、面部等区域；尾巴颜色较浅，有灰色的粗环纹；面部外围和胸前为白色，眼下有显著的黑纹，形如泪沟。

| 栖息环境

猲是喜寒动物，能适应寒带的高山森林、草原、灌丛及荒漠等多种环境。隄山是《山海经·北山经》第一山系的最后一座山，地处北方，气候寒冷，山上有针叶林和草甸分布，是适宜猲生存的山地环境。

| 雪豹（上）与猞（下）体型对比图

| 生活习性

猞的听觉、视觉、嗅觉都十分发达，擅长奔跑和攀援，长期生活在水边的猞也能游泳或潜水。

它们通常在夜间活动，多见于清晨和黄昏。夏季栖息在树上，冬季则寻找岩洞藏身。单独狩猎，猎物多是体型较小的飞禽或食草动物，如野雉和野兔。隄山上有许多野马和獐狍，猞有时也会合力追捕它们。

猞会储藏食物，将没吃完的猎物挂到树枝上，在冬季则埋在积雪中，需要的时候再刨出来食用。

又北五十里，曰县雍之山，其上多玉，其下多铜，其兽多闾、麋，其鸟多白翟、白䳕。

——《山海经·北山经》

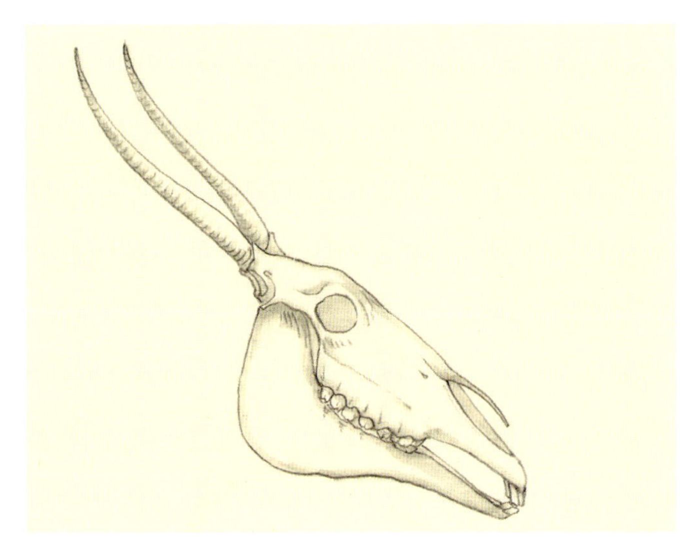

| 闾头骨图

| 栖息环境

闾是一种具有迁徙性的野生有蹄类动物，栖息在海拔较高的高原草甸或草原上。在《山海经·北山经》中的县雍之山，以及《山海经·中山经》中的辉诸之山，都能见到闾的踪迹。其中，县雍之山上多玉矿和铜矿，多灌木丛林，林中栖息着许多野雉和麋鹿，闾就生活在草场与灌丛之间的边缘地带。

| 形态特征

闾的身躯与野驴类似，但体型更小。头骨上小下大，下颌骨粗壮。头顶长有一对细长的角，角上有环状凸棱。耳朵长而窄，上唇有裂。全身皮毛棕黄，只有吻部尖端是白色。

它们的蹄子构造奇特，前后肢均为三趾在前，一趾紧贴在后，前三趾蹄的形状近似桃形，在掌心方向有一个凹槽，这种构造在有蹄类动物之中非常少见。它们的蹄印可以伪装成犬科动物的足迹，以此恐吓或迷惑捕食者。

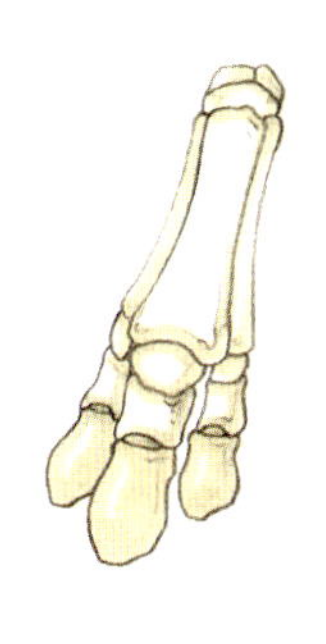
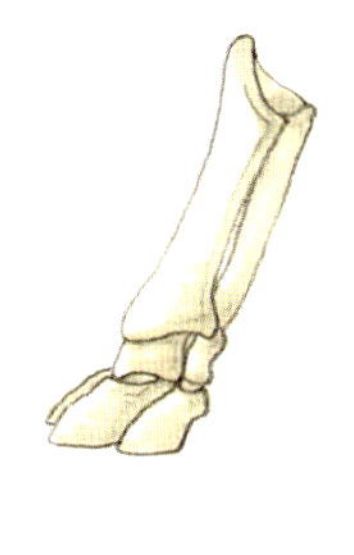

| 间足骨细节图

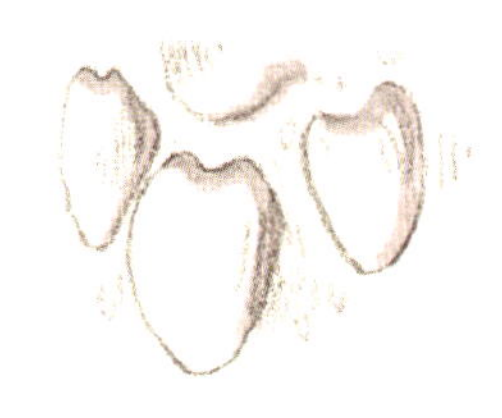

| 间的足印

| 生活习性

间结成小群生活，每个小群的数量为5~6只，不会聚合成大群，同时也有一定数量的雄间会选择单独行动。

每个小群会占据一块领地，包括灌丛和草地两部分。清晨和傍晚集体到草地上觅食，食物以青草和菌类为主，中午和夜晚则多在灌木丛中隐蔽自己。腹部后方有腺体能分泌气味浓重的液体，可涂抹在草叶或岩石上，来标记领地的边界。

间对其他种类的食草动物没有攻击性，而且感觉敏锐，胆小谨慎，不会在同一片区域生活太久。即使受到气候或食物资源的影响，需要留居在一座山上，也不会将领地固定下来，而是每隔几天转移一次，以此来确保群体的安全。

又北三百里，曰北嚣之山，无石，其阳多碧，其阴多玉。有兽焉，其状如虎，而白身犬首，马尾彘鬣，名曰独狢。

——《山海经·北山经》

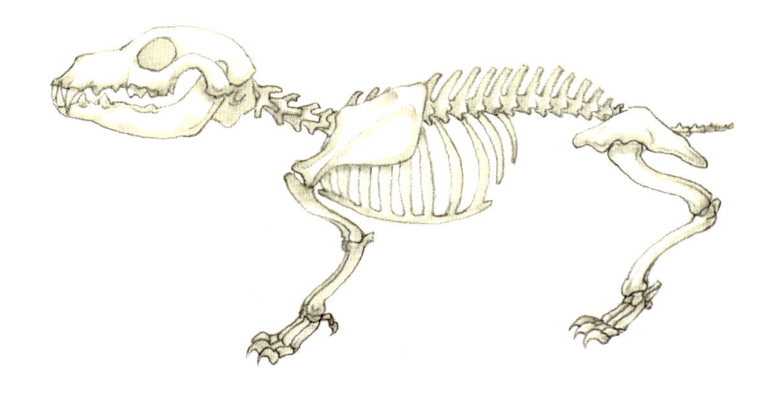

| 独狢骨骼图

| 形态特征

独狢的颅骨很大，占据全身骨骼的1/3。身体小而圆胖，四肢粗短，身形类似家猫，体长约半米。尾骨短，但毛发很长，可以甩动。爪的结构近似于猫科动物，前后均为四趾，有利爪，但不能伸缩。掌下有厚厚的肉垫，趾间长满粗硬的毛发，在光滑的冰面上也能平稳行走。

它们的耳朵很大，直立，耳尖呈圆形，耳廓边缘呈弧状扩展，双耳都能进行180°旋转，甚至同时朝不同方向转动，敏锐地收集前后左右的声音信息。浑身被黑毛，眼上和鼻子两侧有白色斑点分布，长有红色长须。

| 栖息环境

独狢是一种适应了荒漠环境的狐属动物，生活在北方的北嚣之山。那是一座玉石堆砌的荒山，山上没有岩石，到处是庞大的玉石块矗立着。植被稀少，多分布于山体的背阳面和水边，无高大乔木，只有零星的杂草、灌木和苔藓。

| 独狢扑食姿势示意图

| 独狢耳朵转动示意图

| 生活习性

独狢是穴居生物，通常10~15只组成的小群体共享一个天然洞穴。由于北嚣之山的山体坚硬，砂石较少，独狢难以自行挖掘洞穴，因而才选择群栖。

幼崽成年之后仍旧和父母住在一起，即使此时洞穴中已经十分拥挤。但同时有一批独狢游离在外，没有栖身之处，只能寻找山体凹陷处、洼地或玉矿的裂隙之间藏身。

独狢主要以小型动物为食，包括鼠类、蜥蜴、禽鸟和昆虫；攻击时会高高跃起，前肢收在胸前，猛地扑向猎物；也会吃植物的根茎和果实，从植物中获得糖分和水分，所以它们可以数天不饮水。

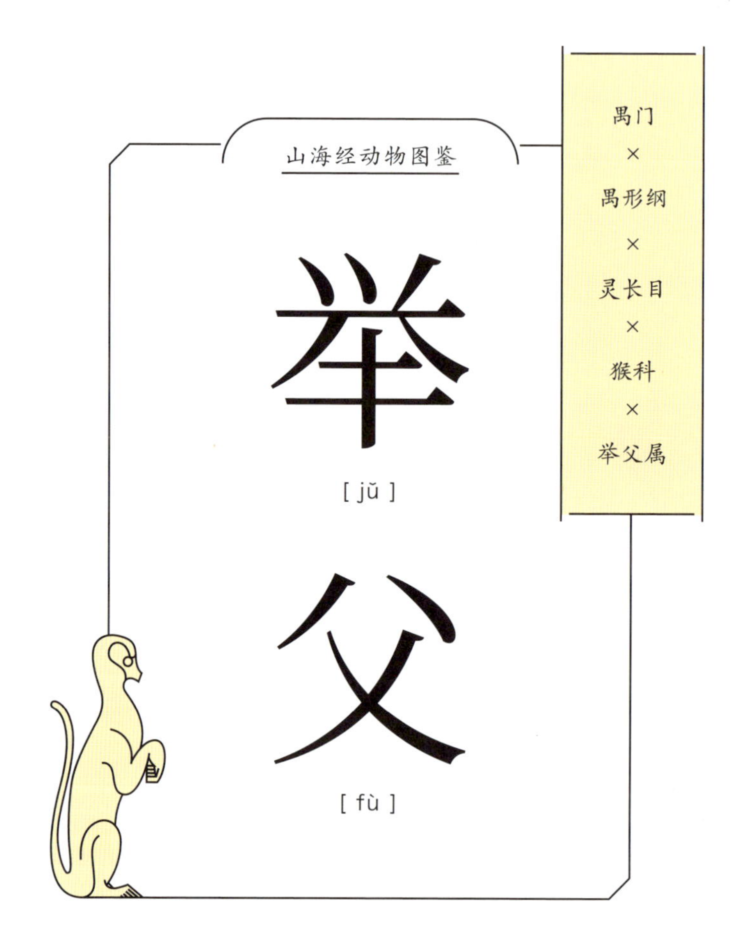

西次三山之首，曰崇吾之山，在河之南，北望冢遂，南望䍃之泽，西望帝之搏兽之山，东望螞渊……有兽焉，其状如禺而文臂，豹尾而善投，名曰举父。

——《山海经·西山经》

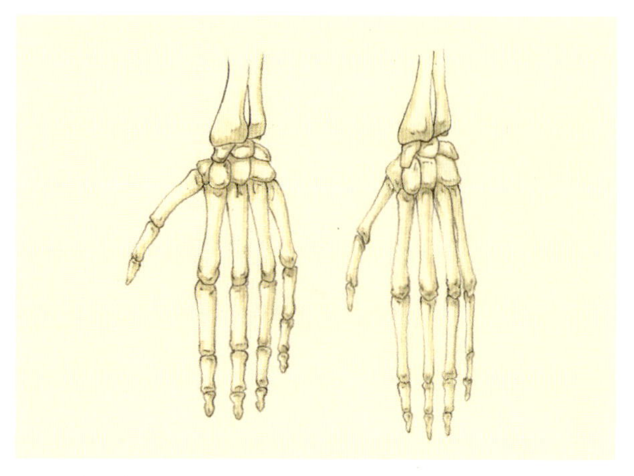

| 人类手骨（左）与举父前足骨骼（右）对比图

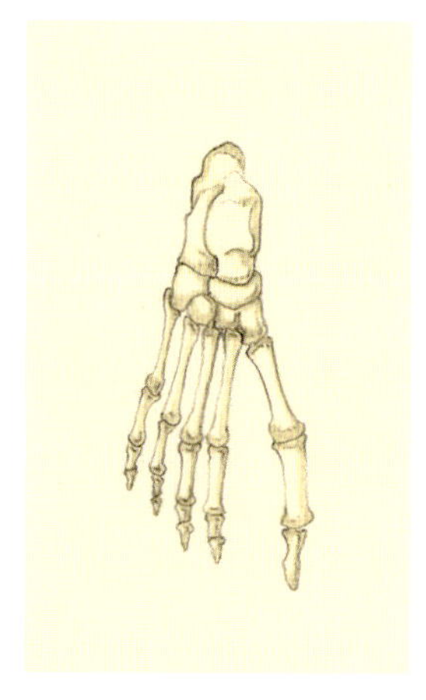

| 举父后足骨骼图

| 栖息环境

崇吾之山是《山海经·西次三经》的第一座山，坐落在黄河以南。东南方向均是大泽和潭渊，北面有隧道一般的大山谷，西面则是搏兽之丘。这是昆仑山脉的起点，也是不周山的门户。山北草木凋零，山岩裸露，砂石遍地。山南则是修竹茂林，鸟兽成群。举父生活在此。

| 形态特征

举父的体形纤细，足部指甲短而尖锐，适宜在树冠上行动。前肢的掌部不宽，足趾也不够粗壮，抓握东西的灵活性和精准度都不如人类。但其后肢的第一足趾异常粗大，能与其他四趾分开，因此后肢比前肢更为灵活，不仅能牢牢抓住树枝稳定身体，还能采摘食物和使用工具。

它们的头骨圆润，眼眶大，眼睛的构造使其能最大限度地捕捉周围事物的动态。但其脑容量不大，在禺门动物中属于智力低下的类别，也没有复杂的家族制度，一般由3~5只结成家庭，共同生活。

崇吾之山鲜少落雪，但受到昆仑地气的影响，举父浑身银白，手臂和尾巴上分布着灰色斑纹。面部和肢端裸露着橙黄色的皮肤，嘴周围长着白色绒毛。

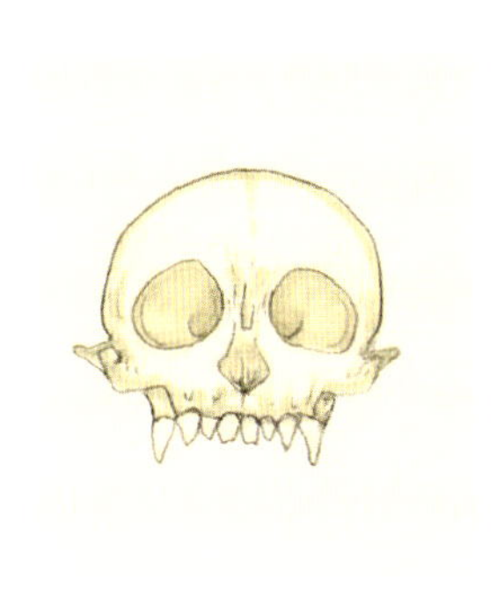

| 举父头骨图

| 举父常吃的果子

| 生活习性

举父生活在树林中，作为树栖动物，它们通常不会离开树冠到地面上行走，除非树上的果实不足以满足进食需求。它们的食物包括树叶、花朵、果实、竹笋等。因为牙齿大而稀少，所以它们能够轻易地咬断树枝和咀嚼叶片。

举父喜好食用崇吾山所独有的一种野果。这种果子成熟后为金红色，大小如金橘，呈簇状集中在枝头。举父食用之后，能使裸露出的皮肤颜色更加鲜艳，在求偶时更能吸引异性。

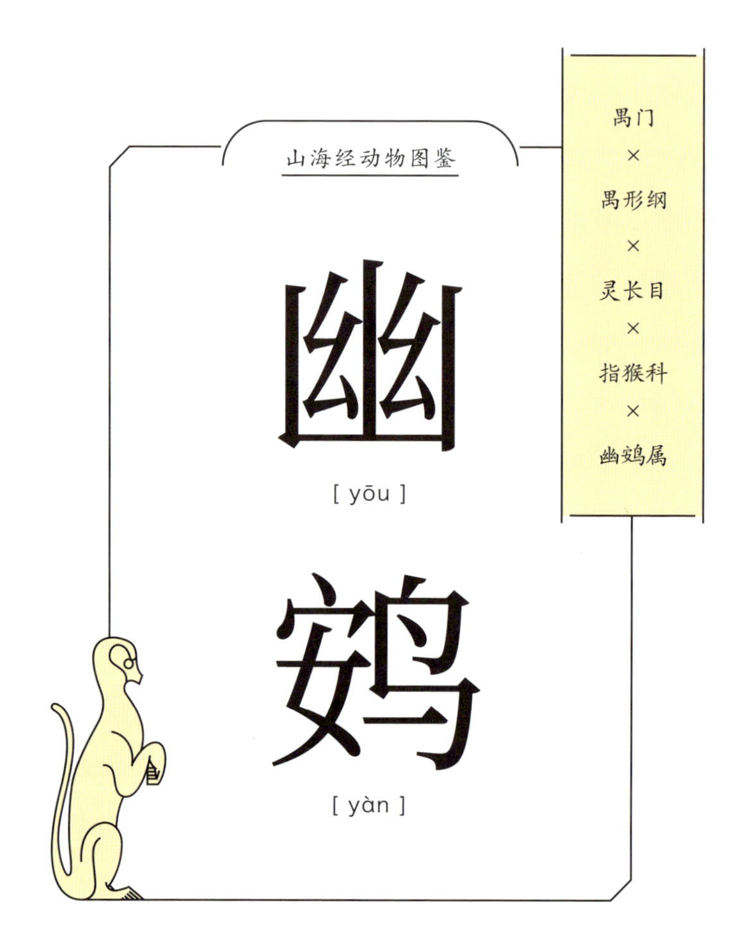

又北百一十里，曰边春之山，多葱、葵、韭、桃、李。杠水出焉，而西流注于泑泽。有兽焉，其状如禺而文身，善笑，见人则卧，名曰幽鴳，其名自呼。

——《山海经·北山经》

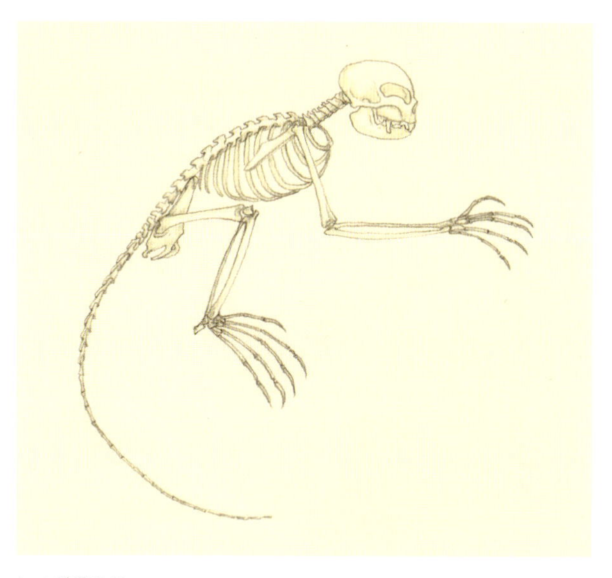

| 幽鸮骨骼图

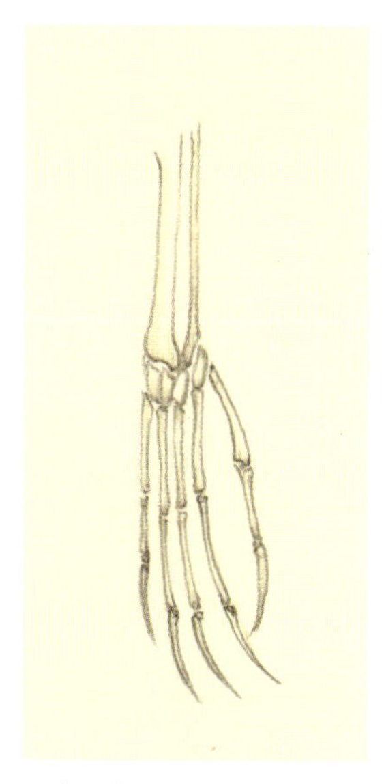

| 前足骨骼细节图

| 形态特征

幽鸮的体型很小，体长不足1尺，体重4~5斤，尾巴与身体等长。浑身长满暗绿色的毛，背部有黑色的斑纹分布，观感可怖，面部、耳朵和肢端皮肤裸露。耳朵大，呈桃形，可以灵活转动。面部扁平，眼睛细长，虹膜为红色。鼻子钝平，鼻孔明显，口部四周长出粗硬的长毛，像飞扬的胡须。

它们的四足长得像人类的手，掌小趾长，枯瘦无肉，尖端是锐利的黑色钩爪，前后均为五趾。前肢的可动性比后肢强，后肢足趾弯曲，可张开幅度较小，前肢足趾则可以大张，也能完全收拢。

| 栖息环境

幽鸮是树栖动物，适宜于茂密的森林环境，北境的边春之山上就有许多幽鸮栖息。山上多有野生桃树和李树，杂草密布，其中还有许多野菜。这座山相对低矮，是北部地区的山脉中气候相对温暖的地方。

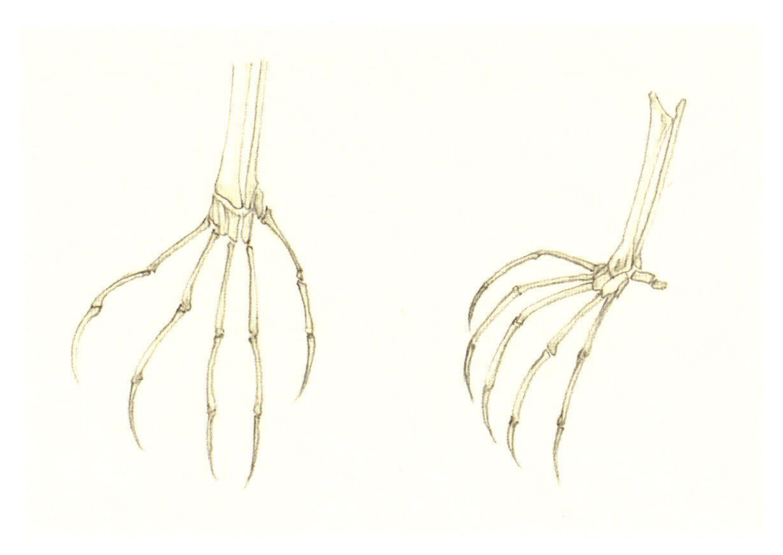

| 后足骨骼正视（左）及侧视（右）图

| 生活习性

幽鸦主要在夜晚活动，白天多在巢穴中睡觉。如果感到饥饿或受到打扰，也有可能在白天觅食或迁移，但它们有一种应激反应，如果受到惊吓，会瞬间僵直不动。如果在树上，会保持之前的动作一段时间。如果在地面上，则会倒地进入假死状态，叫声像人在大笑，因为长相可怕，很容易被当作林间鬼怪。

幽鸦主要吃昆虫、虫卵和鸟蛋，会用趾爪敲击树干来判断有无蛀虫。如果听出树干有空洞，会用牙齿啃出一个小洞，伸进指甲抠出虫子食用，也吃果实和草叶，山上的野桃、李子以及地上的葵、韭、野葱等野菜为它们提供了丰富的食物资源。

又北二百里，曰蔓联之山，其上无草木。有兽焉，其状如禺而有鬣，牛尾、文臂、马蹄，见人则呼，名曰足訾，其名自呼。

——《山海经·北山经》

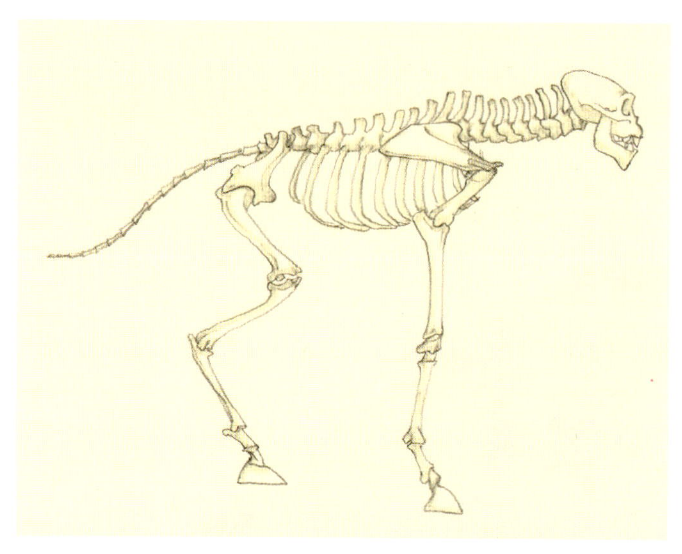

| 足訾骨骼图

| 栖息环境

距离幽鸮所在的边春之山二百里处，有一座蔓联之山，其地形地貌和气候环境与边春之山截然不同，不仅险峻难攀，而且植被稀疏，无树木，仅有零星的杂草出现在岩石的缝隙之中。足訾生活在此。

| 形态特征

足訾是禺门动物中的异类，因为除了头部，它们已经失去了猿猴的特征，取而代之的是食草动物的身体。足訾头骨较圆，面部微凸，鼻短口大，上颌膨大凸出；枕骨后方连接颈椎，椎骨粗壮，骨节较大，上方排列着棘突；面部周围生长着浓密的棕色毛发，一致延伸到前胸和背脊，如同狮子的鬃毛一样；四肢着地站立，腿骨构造与马一致，蹄部宽大，中间有一道凹槽，外部有皮毛包覆，行走时无声无息；尾巴类似牛尾，但尾骨更长，末端长着簇状长毛，站立时能垂到地面。

| 足訾喜爱的果实

| 生活习性

足訾的身体构造能让它们适应蔓联之山的环境。它们擅长在岩石和砂粒上奔跑，速度很快。由于面部较平，眼睛处在同一水平面，不像野马、山羊一类分布在面部两侧，所以它们的视野相对狭小，奔跑时无法兼顾两侧和身后。但足訾的耳朵异常发达，可以收集大范围内的声响，并很快确定声响产生的位置，因而弥补了视野的不足。

它们的眼睛是绿色的，感光性很强，无论白天黑夜都能看清景物；性情警醒，是聚群而居的迁徙性动物，互相之间通过叫声进行交流，发出的声音就像在呼喊它们的名字一样。

蔓联之山高且荒芜，是躲避天敌的绝佳场所。足訾每年三到四月开始向山下迁徙，去往附近的山林草场寻找食物；杂食，主要寻找鲜艳的果实食用，除此以外还会猎杀小型动物。到了十月，进入繁殖期后，它们又会集体回到蔓联之山上。

绘者简介

吕洋，1995 年生于山东，毕业于北京工业大学艺术设计学院。沉迷于动植物，喜欢大自然，热爱生活。

编者简介

兰心仪, 浙江衢州人, 中央民族大学考古专业硕士, 研究方向为商周考古。自小对中国神话故事和民间传说有浓厚兴趣，爱好阅读并喜于探究神话和古物之间的联系。

选题策划：耕雲 FANTASEE 张国辰 陈胜伟